# 만나서 반갑습니다!
# 좋은 일이 생길 거예요!

가슴이 설레는 만남이 아니어도 좋습니다.
가슴이 떨리는 운명적인
만남이 아니어도 좋습니다.
만남 자체가 소중하니까요!

최보규 방탄book기술력 창시자

핵심
내용 설명

특허청 등록
최보규 강사책출간 코칭전문가
등록 번호: 제 40-2200794 호

세계 최초! 출판계의 혁신!
최보규의 책 쓰기
10G

책쓰기
일타강사

세계 최초
방탄
BOOK

특허청
등록

# 최보규의 책 쓰기 10G
## 핵심 내용 설명

## 세계 3대 혁신!

**스마트폰**

**전기차**

방탄book기술력

세계에는 3대 혁신이 있다. 1대는 스마트폰, 2대는 전기차, 3대는 출판계의 혁신인 방탄book기술력이다. 기존 출판사 99%는 책만 출간 한다.
방탄book출판사는 6가지 수입 창출을 할 수 있는 책을 출간 한다.

# 최보규의 책 쓰기 10G
## 핵심 내용 설명

🌀 특허청 등록 🌀
### 최보규 강사책출간 코칭전문가
등록 번호: 제 40-2200794 호

## "특허청 등록"으로 검증된
## 최보규의 책 쓰기 10G 본질

20,000명 심리 상담, 코칭, 종이책 150권, 전자책 250권 총 400권 출간으로 알게 된 책 쓰기, 책 출간의 본질! 사람들이 시간, 돈 낭비를 하는 이유는 본질을 모르고 책 쓰기를 하기 때문이다. 본질을 모르면 노오력만 하다 지쳐 떨어져 나가지만 본질을 알면 올바른 노력을 하게 되어 시간, 돈 낭비를 줄이고 결과를 만들어 낸다.

# 최보규의 책 쓰기 10G
## 핵심 내용 설명

## 종이책 무료 출간 매뉴얼

대한민국 평균 1권 자비출판 비용이 평균 300만 원 발생한다. 150권 출간했다면 300*150= 4억 5천만 원이 발생했을까? 아니다! 방탄book기술력이 있다면 0원이면 가능하다. 방탄book기술력이면 10권, 100권, 1.000권 출간도 0원으로 할 수 있다. 원고 작업부터 책 출간까지 5단계로 쉽게 종이책을 출간할 수 있는 방탄book기술력을 세계 최초로 공개한다.

# 최보규의 책 쓰기 10G 핵심 내용 설명

**전자책 무료 출간 매뉴얼**

움직이지 않아도 수입을 발생시킬 수 있는 것이 전자책이다. 자는 동안에도 수입이 발생한다. 여행 중에도 수입이 발생한다. 커피숍에서 지인들과 수다를 떨고 있을 때도 수입이 발생한다. 장거리 운전 중에도 수입이 발생한다. 월세, 연금성 수입을 발생시키는 전자책은 선택이 아닌 필수다. 이제 당신도 전자책을 무료로 5분 안에 만들 수 있다.

# 최보규의 책 쓰기 10G
## 핵심 내용 설명

## 종이책, 전자책 표지 디자인

지금 시대(숏츠,유튜브, SNS...) 집중도가 전문가들에 의하면 금붕어보다 못하다고 한다.(금붕어 9초, 사람 8초) 한마디로 8초 안에 선택받지 못하면 끝난다는 것이다. 사람의 심리에서 시각적인 효과가 95%를 차지한다. 하루가 멀다하고 수 천개의 이미지, 영상, 화려한 것에 노출 되어 이미지가 화려하지 않으면 쳐다 보지도 않는다. 책 내용도 중요하지만 책 표지도 내용 만큼 중요하다. 안 팔리는 책 표지 디지인이 있고 팔리는 책 표지 디자인이 있다.

# 최보규의 책 쓰기 10G
## 핵심 내용 설명

**종이책, 전자책 표지 디자인**

마우(마우스만 움직일 줄 아는 우주 초보)인 사람이 책과 연관된(종이책 표지, 종이책 3D 표지, 종이책날개 표지, 전자책 표지, 책에 들어갈 이미지 디자인, 책 출간 후 유튜브 홍보 영상 디자인, SNS 프로필 디자인... 등) 디자인을 할 수 있는 기술력을 배울 수 있다라면? 당신은 배울 것인가? 다음 생에 배울 것인가?

# 최보규의 책 쓰기 10G
## 핵심 내용 설명

**종이책, 전자책 마케팅**

시행착오, 대가 지불, 인고의 시간을 거쳐 출간한 소중한 책이 홍보를 하지 않아 냄비 받침대가 되어가는 것을 보고만 있는 저자들이 90%다. 누군가는 sns라는 도구를 시간 때우는 도구로 사용하고 누군가는 자신 분야 마케팅 도구로 사용을 한다. 자신 sns을 활용해서 책 마케팅을 숨을 거두는 날까지 끊임없이 해야 한다. 알리지 않으면 죽은 거와 같다.

# 최보규의 책 쓰기 10G
## 핵심 내용 설명

**책으로 PPT 만들기 매뉴얼**

책을 출간하면 저자 특강을 하거나 <u>출간 한 책으로 강의, 교육, 코칭을 해서 수입 창출을</u> 한다. 출간한 책으로 PPT 교육, 강의, 코칭 자료를 만들어서 해야지만 수입이 올라가고 전문성을 인정받는 것은 아니다. 하지만 <u>몸값을 올리는 사람, 삼성(진정성, 전문성, 신뢰성)을 인정받는 사람들은 출간 한 책으로 PPT 교육, 강의, 코칭 자료를 만든다</u>는 것을 명심해야 한다.

# 최보규의 책 쓰기 10G 핵심 내용 설명

## PPT로 책 만들기 매뉴얼

누군가는 PPT를 일할 때 외에는 활용하지 않는다. 하지만 누군가는 PPT를 활용하여 책을 출간해서 제2수입, 제3수입을 올린다. 왜 가지고 있는 경력, 가지고 있는 PPT를 썩히고 있는가? 누구도 말하지 못한 PPT로 책출간! 어디에서도 보지 못한 PPT로 책출간! 어떤 책에서도 보지 못한 PPT로 책출간! 어떤 영상에서도 보지 못한 PPT로 책출간! 어떤 사람에게도 들을 수 없는 PPT로 책출간!

# 최보규의 책 쓰기 10G
## 핵심 내용 설명

**출간한 책으로 수입 창출 6가지 연결 1**

| 1수입 | 2수입 | 3수입 | 4수입 | 5수입 | 6수입 |

**출판계 현실!** 출간 한 책 90% 책들이 3개월 뒤에는 냄비 받침대가 되어 버린다. 한마디로 책 활용하는 방법을 배우지 않는다. 누군가는 책만 출간하고 누군가는 출간한 책과 방탄book기술력을 연결시켜 6가지 수입을 창출한다. 당신은 책 1권 출간하는 방법만 배울 것인가 책 1권 출간하여 6가지 수입 창출을 할 수 있는 방탄book기술력을 배울 것인가?

# 최보규의 책 쓰기 10G
## 핵심 내용 설명

대한민국에 90% 출판사들이 책만 출간한다. 대한민국에 1%인 방탄book출판사는 자신 분야를 6가지 수입을 발생시킬 수 있는 책 출간을 한다. 당신의 선택은? 책만 출간하는 책 쓰기 교육, 코칭? 책도 출간하고 출간한 책을 활용해서 6가지 수입을 발생시키는 책 쓰기 교육, 코칭? 3고 시대, 은퇴 나이 49세 시대를 극복하기 위한 방탄book기술력 시작하자!

17

20,000명 심리 상담, 코칭으로 알게 된
20,000명이 바라는 책 쓰기, 책 출간 교육, 코칭

 **10가지**

**1** 한번 출간한 책으로 <u>평생 활용하는 방법을</u> 알려주는 교육, 코칭

**2** <u>로또 2등과 같은 기획출판을 하기 위해서 출판기획서 제작 스트</u> 레스, 거절 메일을 확인 하는 스트레스, 370가지 스트레스... 등 <u>마음고생 덜 하고 책 출간할 수 있는 책 쓰기 교육, 코칭</u>

**3** 책 활용 수입 창출 시스템 교육을 검증 된 전문가에 게 한 곳에서 <u>시간, 돈 낭비를 줄여주는</u> 책 쓰기 교 육, 코칭

**4** 한번 코칭으로 <u>100년 a/s, 피드백, 관리해</u> 주는 책 쓰기 교육, 코칭

**5** 책 출간 후 <u>자신 분야 삼성(진정성, 전문성, 신뢰성)</u> <u>을 높여 자신 분야 내공, 가치, 몸값까지 올릴 수 있</u> 는 책 쓰기 교육, 코칭

출간한 책으로 <u>강사가 되어 은퇴 후 제2의 직업</u>을 할 수 있는 책 쓰기 교육, 코칭

 책 출간 후 자신 분야 코칭 전문가가 되어 은퇴 후 <u>제3의 직업</u>까지도 할 수 있는 책 쓰기 교육, 코칭

 책 출간 후 온라인 콘텐츠까지 제작을 해서 <u>비수기 없는</u> 책 쓰기 교육, 코칭

 책 출간 후 디지털 콘텐츠까지 제작을 해서 <u>월세, 연금성 수입까지 발생</u>시킬 수 있는 책 쓰기 교육, 코칭

 책 한 권 출간하고 끝나는 것이 아니라 <u>100년 동안 책을 무한대로 출간</u> 할 수 있는 책 쓰기, 책 출간 기술력을 교육, 코칭

**책 쓰기, 책 출간 교육, 코칭은 누구나 한다.**
<u>*6가지 수입 창출 책 쓰기, 책 출간*</u>
<u>*교육, 코칭은 방탄BOOK 장시자 뿐이다.*</u>

특허청 등록

**최보규 강사책출간 코칭전문가**

등록 번호: 제 40-2200794 호

방 탄
book

**www.방탄book.com**

NAVER 방탄book기술력

세계에서 20,000명이 바라는
책 쓰기, 책 출간 교육, 코칭 10가지를
할 수 있는 곳은

**방탄book출판사 뿐이다!**

**최보규 방탄book기술력 코칭전문가**

강사 15년 / 강의 6,000회를 통해 알게 된
교육 담당자, 학습자가 바라는 강사

Google 자기계발아마존   ▶YouTube 방탄자기계발   NAVER 방탄자기계발사관학교   NAVER   최보규

## 1. 가성비 강사 (1+4)

강의 시간 속에 즐거움, 메시지, 스토리텔링,
감동, 실천 동기부여를 해주는 강사

경기가 어려우면 교육을 의뢰하는 업체들은 이벤트, 교육 예산을 가장 먼저 비용 절감한다. 그래서 교육담당자들은 1명의 강사비로 5가지의 교육효과를 보고 싶어 한다. 한 번 교육 속에 즐거움, 메시지, 스토리텔링, 감동, 실천 동기부여를 해주는 가성비 강사를 선호한다. 가성비 강사는 시대 흐름이 되었다. 학습자들은 강의, 교육을 수 십 번 듣다 보니 일방적인 이론 교육만 하는 강의, 교육을 싫어한다. 가성비 강의를 하지 못하는 강사는 살아남지 못한다.

## 2. 스펙, 강사료 값어치를 하는 강사

지금까지 들었던 강사와 다른 내공, 가치, 값어치가 다르게 느껴지는 강사

프로필에 있는 스펙은 1시간에 100만 원 강사비를 받는 자격은 되는데 강의 내용이 10만 원 강사보다 못한 강의를 하는 강사들이 많다. 한 마디로 스펙, 강사료 값어치를 못 하는 강사가 많다는 것이다. 학습자가 강의를 들었을 때 "이런 강의는 나도 하겠다. 뻔한 강의, 차별화가 없는 강의, 신선함이 없는 강의, 강의 듣는 시간에 잠이나 자는 게 낫겠다. 이런 내용으로 하는 강의라면 강사 개나 소나 다하겠다."라는 마음을 들게 하면 최악의 강사다.

| Google 자기계발아마존 | ▶YouTube 방탄자기계발 | NAVER 방탄자기계발사관학교 | NAVER 최보규 |
|---|---|---|---|

## 2. 스펙, 강사료 값어치를하는 강사

**지금까지 들었던 강사와 다른 내공, 가치, 값
어치가 다르게 느껴지는 강사**

학습자가 강의를 들었을 때 "전에 비슷한 강의
수십 번 들었지만 이강사는 다르다. 프로필에 나
온 스펙, 타이틀 값어치를 하는 강사다. 다시 듣
고 싶게 하는 강의 내용이다. 강의 내용이 너무
좋아서 강사료를 더 챙겨 주고 싶게 만든다.
<u>학습자를 사랑하는 마음이 느껴지는 강의다.</u> 이
런 강의는 10시간도 듣고 싶다."라는 마음을 들
게 하는 강사가 가성비 강사이고 스펙, 강사료
값어치를 하는 강사이다. <u>강사가 스펙 값, 타이
틀값, 경력 값을 하는 건 당연한 것이다.</u>

# 강사 15년 / 강의 6,000회를 통해 알게 된
# 교육 담당자, 학습자가 바라는 강사

| Google 자기계발아마존 | ▶YouTube 방탄자기계발 | NAVER 방탄자기계발사관학교 | NAVER 최보규 |
|---|---|---|---|

## 3. 실천할 수 있는 강의 사용 설명서를 주는 강사

### 강의 때 배운 것들 강의 끝난 후 활용할 수 있는 사용 설명서(도구)를 주는 강사

20,000명 심리 상담, 코칭 하면서 알게 된 것은 사람의 심리는 <u>1시간 교육, 강의를 듣더라도 90%는 잊어버리고 10%만 기억</u>을 한다. 10%를 기억하는 사람들 중에 <u>실천하는 사람은 0.1%도 되지 않는다.</u> 아무리 강의, 교육이 좋아도 기억이 나지 않는데 어떻게 생활 속에서 실천을 하겠는가? 돌아서면 다 잊어버리기 때문에 교육, 강의가 끝난 후에도 실천할 수 있는 매개체를 주어야 한다. 눈에 보여야 실천 확률이 높기에 <u>시각적인 실천 동기부여 도구를 주어야 한다.</u> <u>학습자들이 가장 바라는 것은 교육, 강의가 끝난 후에도 생활 속에서 실천 할 수 있게 해주는 것이다.</u>

## 강사 15년 / 강의 6,000회를 통해 알게 된
## 교육 담당자, 학습자가 바라는 강사

# 1. 가성비 강사 (1+4)
강의 시간 속에 즐거움, 메시지, 스토리텔링,
감동, 실천 동기부여를 해주는 강사

# 2. 스펙, 강사료 값어치를하는 강사
지금까지 들었던 강사와 다른 내공, 가치, 값어
치가 다르게 느껴지는 강사

# 3. 실천할 수 있는
# 강의 사용 설명서를 주는 강사
강의 때 배운 것들 강의 끝난 후 활용할 수 있는
사용 설명서(도구)를 주는 강사

27

## 최보규 강사의 차별화 강의가 아닌 초월 강사

Google 자기계발아마존    ▶ YouTube 방탄자기계발    NAVER 방탄자기계발사관학교    NAVER    최보규

1. 가성비 강사가 되기 위해 강사 15년간 2,000권 독서 / 7,000개 메모 / 자기계발서 150권 출간을 통한 메시지, 스토리텔링 강의.

2. 학습자가 봤을 때 "이런 강의는 나도 하겠다."라는 말을 듣지 않고 쓰리 값(나이값, 스펙값, 강사료값)어치를 하기 위해서 **강사 11계 명 실천**으로 80억 분의 1 검증된 전문가 다운 강의를 하는 강사.

3. 교육, 강의가 끝난 후에 생활 속에서 실천 동기부여를 할 수 있는 **도구, 사용 설명서**(강사 사비 제작)를 통해 변화, 성장할 수 있게 해주는 강사.

대한민국 99%가 책 쓰기, 출간하는 방법만
교육, 코칭 한다!
6가지 수입 창출 책 쓰기, 출간 기술력을
교육, 코칭 하는 곳은 방탄book출판사뿐이다.

방법을 알면 1권 출간하고 끝이지만
방탄book기술력을 알면
10권, 100권, 1.000권... 도 가능하다.

## 1. 가성비 코칭

**변화, 성장, 자신 분야 연결을 통해 제2수입,
제3수입 까지 발생시킬 수 있는 코칭**

대부분 사람들이 자신 분야 스펙, 경력과 무관한
새로운 분야 코칭을 받고 새로운 분야를 만들려
고 한다. 그러다 보니 힘들고 어려운 것이다. 자
신 분야 스펙, 경력과 연결시킬 수 있는 분야 코
칭을 받는다면 좀 더 수월할 것이다. 지금 시대
는 한 분야 전문성으로는 힘든 시대이기에 자신
분야 스펙, 경력을 살려서 수입을 창출할 수 있
는 방법이 아닌 기술력을 배울 수 있는 가성비
코칭을 원한다. 방법을 배우면 3개월 밖에 안가
지만 기술력을 배우면 100년 간다.

## 2. 시간, 돈 낭비를 하지 않는 코칭

검증이 되지 않는 코칭에 속아 시간과 돈 낭비를 줄여서 빠른 수입 창출 코칭

방탄book기술력 코칭을 하다 보면 대부분 사람들이 처음 코칭 받는 사람은 드물고 여러 번 코칭을 받으면서 시간, 돈 낭비를 하고 난 뒤에 방탄book기술력 코칭을 받는다. 여러 코칭을 받으면서 수백만 원 ~ 수 천만 원을 투자했는데도 제대로 수입을 창출하지 못했다고 하소연하는 사람들이 많다. 속된 말로 혹하는 말에 속아 시간, 돈 낭비를 했다는 것이다. 지금 시대 검증 안된 전문가(사기꾼)들이 너무 많다. 시간, 돈 낭비를 줄이기 위해서는 표면적으로 검증할 수 있는 검증된 전문가인지, 시스템이 있는지 확인을 해야 한다. 예시) 박사, 10권 이상 전문 서적, 특허청 등록...등

| Google 자기계발아마존 | ▶YouTube 방탄자기계발 | NAVER 방탄자기계발사관학교 | NAVER 최보규 |
| --- | --- | --- | --- |

## 3. 코칭, PT 받은 후
## A/S, 피드백, 관리를 해주는 코칭
### 혼자 스스로 할 수 있을 때까지, 자리 잡을 때까지
### 멘토가 되어 주는 코칭

코칭 받기 전에는 속된 말로 간, 쓸개 다 빼준다는 말로 혹하게 하여 교육, 코칭을 듣게 한다. 교육, 코칭 끝나면 혼자서 알아서 하라는 식으로 나 몰라 한다. 이런 교육, 코칭이 90%이다. 당연히 교육, 코칭의 기본 전제는 자신이 배운 것을 토대로 스스로 끊임없이 학습, 연습, 훈련을 해야 하지만 스스로 혼자 할 수 있을 때까지는 어느 정도 전문가의 케어가 필요한데 안타깝게도 현실은 그렇지 않다. 교육, 코칭 받을 때는 언제든지 전화하면 피드백 해준다는 말을 하면서 정작 전화하면 안 받거나 피한다. 방탄book기술력 교육, 코칭 받는 사람들 100%가 놀라는 것이 150년 a/s, 피드백, 관리에 놀란다. 자립할 때까지 케어해주고 인연이 되어 준다.

33

Google 자기계발아마존　 YouTube 방탄자기계발　NAVER 방탄자기계발사관학교　NAVER 최보규

# 1. 가성비 코칭
변화, 성장, 자신 분야 연결을 통해 제2수입,
제3수입 까지 발생시킬 수 있는 코칭

# 2. 시간, 돈 낭비를 하지 않는 코칭
검증이 되지 않는 코칭에 속아 시간과 돈 낭비
를 줄여서 빠른 수입 창출 코칭

# 3. 코칭, PT 받은 후
# A/S, 피드백, 관리를 해주는 코칭
혼자 스스로 할 수 있을 때까지, 자리 잡을 때까
지 멘토가 되어 주는 코칭

34

# 최보규 전문가의 차별화 코칭(PT)이 아닌 초월 코칭(PT)

Google 자기계발아마존  ▶YouTube 방탄자기계발  NAVER 방탄자기계발사관학교  NAVER 최보규

1. 가성비 코칭을 해주기 위해서 자신 분야와 6가지 수입 창출하는 방법을 연결시킬 수 있는 기술력을 체계적으로 교육하는 코칭.

2. 특허청 등록: 제 40-2072344 호 [최보규 자기계발코칭 창시자] 매뉴얼, 시스템이 검증된 전문가로서 시간과 돈 낭비를 줄여주는 코칭.

3. 청출어람 사명감으로 150년 A/S, 피드백, 관리를 해준다는 우주 최강 책임감으로 멘토가 되어주는 코칭.

# 목차

⊙ 최보규의 책 쓰기 10G 핵심 내용 설명 006

⊙ 20,000명 심리 상담, 코칭으로 알게 된 책 쓰기, 출간 교육, 코칭 10가지 018

⊙ 20,000명이 바라는 책 쓰기, 책 출간 교육 강사 022

⊙ 20,000명이 바라는 책 쓰기, 책 출간 코칭 전문가 030

⊙ 최보규의 책 쓰기, 책 출간 10G 목차 036


⊙ 4G. 전자책 무료 출간 매뉴얼 040

★ 종이책 만 출간? 전자책 만 출간? 종이책, 전자책 동시에 출간? 당신에 선택은? 041

1. 1,000년 가는 전자책 만들기 매뉴얼

1) 전자책 원고 작업 세팅 042

2) 전자책 출간의 뼈대인 초고 매뉴얼 048

3) 전자책 퇴고, 탈고의 본질 100

4) 전자책 출간을 위한 체크리스트 103


2. 전자책 출간 매뉴얼 118

★ 무료 전자책을 출간하기 위한 본질 119

★ 한글(HWP) 원고로 전자책 만들기 매뉴얼 124

★ 전자책 출판사 등록 매뉴얼 134

⊙ 천재일우 시스템 162
(천재일우千載一遇: 천 년에 한 번 만난다는 뜻으로 좀
처럼 만나기 어려운 기회)

⊙ 참고문헌, 출처 196

대한민국 99%가 책 쓰기, 출간하는 방법만
교육, 코칭 한다!
6가지 수입 창출 책 쓰기, 출간 기술력을
교육, 코칭 하는 곳은 **방탄book출판사뿐이다.**

**방법만 배우면 평생**
몸을 움직여서 돈을 벌어야 하지만
**방탄book기술력**을 배우면 움직이지
않아도 돈을 벌수 있는 자동 시스템을 만든다.

# 전자책 무료 출간 매뉴얼

움직이지 않아도 수입을 발생시킬 수 있는 것이 전자책이다. 자는 동안에도 수입이 발생한다. 여행 중에도 수입이 발생한다. 커피숍에서 지인들과 수다를 떨고 있을 때도 수입이 발생한다. 장거리 운전 중에도 수입이 발생한다. 월세, 연금성 수입을 발생시키는 전자책은 선택이 아닌 필수다. 이제 당신도 전자책을 무료로 5분 안에 만들 수 있다.

# 1. 종이책 만 출간?  2. 전자책 만 출간?
# 3. 종이책, 전자책 동시에 출간?

1번, 2번, 3번 중 당신이라면 몇 번을 선택하겠는가? 1,000명이면 1,000명이 3번을 선택할 것이다. 책을 쓸 때 종이책을 목표로 쓴다면 전자책까지 자연스럽게 출간 할 수 있게 되지만 전자책을 목표로 쓴다면 종이책을 출간하기가 어렵다. 처음부터 종이책을 목표로 원고 작업을 해야 한다. 전자책 시작도 종이책처럼 원고 작업 부터 시작을 해야지만 시간과 돈 낭비를 줄이고 수입 창 출을 극대화할 수 있다.

# 1. 전자책 원고 작업 세팅.
## (한글(HWP)에 전자책 기본 규격 세팅)

대중적인
사이즈

**46판**

127＊188mm
일반도서
시, 에세이

**A5**

148＊210mm
일반도서
소설, 에세이

**B5**

182＊257mm
문제지, 잡지

**A4**

210＊297mm
문제지, 잡지

**[bookk 출판사]**

1) 전자책 책 원고 작업 세팅. 한글(HWP)에 종이책 기본 규격 세팅.

책 원고 작업을 여러 가지 프로그램에서 가능하지만 평균적으로 책 원고 작업을 한글(HWP)에서 한다. 그래서 출판사의 종이책 원고 규격에 맞는 한글(HWP)에 기본 규격 세팅을 해야 한다.

▶ 원고 작업을 위한 한글(HWP) 기본 규격 세팅 순서.
한글 → 편집 → 쪽 여백 → 쪽 여백 설정 → 종류(사용자 정의) → 폭(154) → 길이(216) #. A5 대중적인 사이즈 148*210인데 상하좌우 3mm는 실제 제작 할 때 재단되어 반영되지 않기에 148+6*216+6= 폭(154)* 길이(216)가 되는 것이기에 참고하자.
→ 용지 방향(세로) → 제본(맞쪽) → 용지 여백 → 위쪽 18.0 → 머리말 7.0 → 꼬리말 13.0 → 아래쪽 18.0 → 안쪽 28.0 → 바깥쪽 23.0 → 문서 전체 → 설정

한 번만 세팅해 놓으면 복사해서 계속 쓸 수 있다.

# 1. 전자책 원고 작업 세팅.
## (한글(HWP)에 전자책 기본 규격 세팅)

▶ 글꼴: 바탕 ~
▶ 글자 크기: 10 ~
▶ 글정력: 양쪽 정렬
▶ 줄 간격: 160% ~

※ 글꼴, 글자 크기, 줄 간격 출판사 마다 다르다.
bookk 출판사에서 평균적으로 사용하는 규격이
니 참고하길 바란다.

※ 글꼴, 글자 크기, 줄 간격 출판사마다 다르다.
bookk 출판사에서 평균적으로 사용하는 규격이니 참고
하길 바란다.

▶ 한글 → 글꼴(바탕) → 글자 크기(10) → 양쪽 정렬
→ 줄 간격 160%

필자는 글자 크기를 12, 줄 간격은 180%로 하고 있다.
출판사가 정해 놓은 규격에서 조금 플러스가 될 수는
있지만 마이너스가 되면 안 된다. (책 출간이 안 되는
예시: 글자 크기 9, 줄 간격 150%)

한번만 세팅해 놓으면 복사해서 계속 쓸 수 있다.

# 1. 전자책 원고 작업 세팅.
## (한글(HWP)에 전자책 기본 규격 세팅)

페이지 번호를 미리 세팅해 놓으면 원고 작업할 때 편하다. 지금 몇 페이지를 쓰고 있는지 몇 페이지가 남았는지 체크를 할 수가 있어서 원고 작업이 수월해진다. 쪽 번호 매기기는 원고를 다 쓴 다음에 할 수도 있다.

▶ 한글 → 쪽 → 쪽 번호 매기기 → 바깥쪽 아래 → → 줄표 넣기(자신 스타일에 맞게) → 넣기

한 번만 세팅해 놓으면 복사해서 계속 쓸 수 있다.

2) 전자책 책 출간의 뼈대인 초고 매뉴얼

- 전자책 책 분야 선택 (인기 있는 분야? 자신 분야?)

대학교로 비유를 하면 여러 가지 과로 나누어져 있듯이 책 분야도 여러 분야로 나누어져 있다. 대학교도 인기 있는 과가 있고 인기 없는 과가 있듯이 책 분야도 인기 있는 분야가 있고 인기 없는 분야가 있다. 한마디로 책을 보는 사람들이 좋아하는 분야가 있다는 것이다.

다음은 책 분야를 정리한 것이니 참고해서 책 분야 전체적인 흐름을 파악하길 바란다.

소설, 시/에세이, 인문, 가정/육아, 요리, 건강, 취미/실용/스포츠, 경제/경영, 자기계발, 정치/사회, 역사/문화, 종교, 예술/대중문화, 중/고등참고서, 기술/공학, 외국어, 과학, 취업/수험서, 여행, 컴퓨터/IT, 잡지, 청소년, 초등참고서, 유아(0~7세), 어린이(초등), 만화, 대학교재

&lt;교보문고&gt;

마음 같아서는 인기 있는 분야를 쓰고 싶을 것이다. 하지만 처음 글을 쓰는 사람들, 글 내공이 없는 사람들, 자신 분야 책을 3권 이상 쓰지 않은 사람들은 인기 있는 분야가 아닌 자신이 자신 있게 쓸 수 있는 분야를 선택해야 한다.

운전으로 예시를 들겠다. 운전면허증을 오늘 취득한 초보가 인기 있는 차종, 사람들이 좋다고 하는 차종, 고가의 차종을 운전한다면 부담이 되어서 나다운 운전 스타일이 나오지 않는다.

당연히 돈이 많아서 운전이 서툴러도 부담 없이 운전하는 사람도 있을 수 있지만 나다운 운전 스타일이 자리잡을 때까지는 부담이 없는 소형차부터 시작을 하듯이 책 쓰기도 인기 있는 분야를 처음부터 시도해도 되지만 자신이 가장 잘 쓸 수 있는 자신 스토리, 자신 전문 분야로 책을 쓰면 글을 잘 쓸 수 있다.

자신에게 맞는 책 분야 선택을 잘 하려면 시중에 있는 자신 분야와 연관 있는 책들 10권 이상 보길 바란다. 10권 이상 보면 어느 정도 감이 올 것이다. 세상에서 가장 좋은 방법은 벤치마킹하는 것이다.

평균 희망 은퇴 73세, 현실 은퇴 나이 49세!
100세 시대 언제까지 몸(노동)으로만
일해서 돈을 벌 것인가?

세상, 현실 기준에서 스펙, 돈, 인맥, 자산 등이 없어서 100세까지 노동을 해야 되고 몸까지 아프면 더 답이 없는 상황! 젊을 때는 100가지 중 99가지를 할 수 있지만 나이 들면 100가지 중 99가지를 할 수 없다. 3고 시대, AI 시대, 챗GPT 시대에 자신의 직업이 사라 질 수 있는 상황에서 어떻게 준비, 대비할 것인가?

 방탄BOOK기술력
선택이 아닌 필수!

ONLY ONE
방탄
BOOK
기술력

한 분야 전문성으로 힘든 시대다. 이제는 포트폴리오 커리어 시대다. (포트폴리오 커리어: 한 분야 전문성 외 다수에 전문성이 있는 사람) 자신 경력을 왜 썩히고 있는가! 자신 경력을 활용해서 6가지 수입을 발생시킬 수 있는 방탄book기술력! 언제까지 몸(노동)으로 일할 것인가? 자신 경력이 일하게 하자! 자신 콘텐츠가 일하게 하자! 시스템이 일하게 하자!

★ ★ ★ ★ ★
직장은 자신 인생을 책임져 주지 않지만
방탄book기술력은 자신 인생을 책임져 준다.
직장은 자신을 배신하지만
방탄book기술력은 자신을 배신하지 않는다.

ONLY ONE

방탄
BOOK
기술력

대한민국 99%가 책 쓰기, 출간하는 방법만
교육, 코칭 한다!
6가지 수입 창출 책 쓰기, 출간 기술력을
교육, 코칭 하는 곳은 **방탄book출판사뿐이다.**

**방법만 배우면 돈이 계속 나가지만
방탄book기술력을 배우면
돈은 계속 들어온다.**

첫 번째, 책 제목을 만들고 책 내용을 쓰는 게 먼저일까? 두 번째, 책 내용을 쓴 다음 책 제목을 만드는 게 먼저일까?

정답은 없지만 20,000명 심리 상담, 코칭, 종이책 150권, 전자책 250권 총 400권 출간 경력으로 알게 된 것은 책 내용을 쓰기 전에 책 제목을 간단하게 만들어야 한다는 것이다. 책 내용을 쓰면서 책 제목이 바뀔 수 있고 좀 더 좋은 아이디어가 나온다는 것이다.

"초고는 쓰레기다."라는 말이 있다. 처음 생각하고 만든 것은 어설프고 미흡하며 보완할 것이 많다는 의미다. 자신이 추구하는 책 분야, 책 가치, 책 신념, 책 의미, 책 목표, 책 방향이 정확하게 있다면 제목을 신중하게 만들 수 있지만 그렇지 않다면 간단하게 제목을 만들어도 된다.

필자에 첫 번째 책은 《나다운 강사 1》, 《나다운 강사 2》다. 필자 본업이 강사이다. 5년 전 강사 직업과 강사 양성코칭을 10년 하면서 쌓인 노하우들을 책으로 출간을 했다. 《나다운 강사 1》 책 제목을 '책을 써야겠다.'

라는 마음먹은 순간부터 6개월 초고 작업과 탈고까지 하면서 제목을 한 번도 수정한 적이 없다. 책 분야, 책 가치, 책 신념, 책 의미, 책 목표, 책 방향이 정확하게 있었기 때문이다.

20,000명 심리 상담, 코칭, 종이책 150권, 전자책 250권 총 400권 출간하면서 알게 된 것은 처음 만들었던 책 제목은 초고를 쓰는 동안 여러 번 수정을 한다는 것이다. 처음 만들었던 책 제목을 책 출간까지 유지 되는 경우보다 수정하는 경우가 더 많았고 9(수정):1(유지)정도 되었다.

책 제목에 처음부터 힘쓰지 말고 가볍게 만들고 책 내용을 쓰면서 다듬어 가면 되는 것이다. 책 제목 가칭을 정하고 초고를 쓰면서 자신 분야와 비슷한 책들의 제목을 참고하며 지금 사람들 좋아하는 트렌드에 맞는 제목을 만들면 된다.

필자의 멘탈분야에 베스트셀러인 《나다운 방탄멘탈》 책으로 이해를 시켜주겠다.
《나다운 방탄멘탈》 책 처음 제목이 <나다운 멘탈>이었다. 나다운 멘탈 주제로 7단계 큰 목차로 구분을 해서 초고를 만들었다.

1단계 나다운 순두부멘탈
2단계 나다운 실버멘탈
3단계 나다운 골드멘탈
4단계 나다운 에메랄드멘탈
5단계 나다운 다이아몬드멘탈
6단계 나다운 블루다이아몬드 멘탈
7단계 나다운 방탄멘탈

퇴고(원고를 고쳐 쓰는 단계)를 하고 탈고(원고를 마무리하는 단계)를 하는 중 한창 BTS(방탄소년단)그룹이 전 세계적으로 이슈가 되고 있었다. 어느 날 멘탈에 대해서 아내와 소통을 하는 중 우주에서 가장 사랑스러운 아내가 이런 말을 했다. "나다운 멘탈이 추구하는 본질이 자신 멘탈을 외부로부터 보호를 먼저 해야만 멘탈 높이는 방법들이 효과가 있다면 지금 방탄소년단이 트랜드이니까 방탄을 제목에 넣어서 나다운 방탄멘탈로 하면 어때?"라는 말에 피카츄 300만 볼트 전기 충격을 받았다.

장기, 바둑도 훈수 두는 사람이 더 잘 보이듯이 필자가 보지 못한 것을 우주에서 가장 존경하는 아내가 본 것이다. 그래서 《나다운 방탄멘탈》 책이 출간과 동시에 멘탈 분야 베스트셀러가 될 수 있었다.

간단히 정리를 하면 첫 번째는 책 제목 가칭을 가볍게 만들기. 두 번째는 초고를 쓰면서 시중에 있는 자신 분야 책들을 참고. 세 번째는 지금 사람들에게 이슈 되는 트랜드 읽기. 네 번째는 퇴고, 탈고하면서 책 제목 최종적으로 다듬기.

- 전자책 책 콘셉트, 사람들이 선호하는 책 콘셉트
(글만 있는 콘셉트? 글+스토리텔링? 글+스토리텔링+이미지?)

20,000명 심리 상담, 코칭, 종이책 150권, 전자책 250권 총 400권 책을 출간하면서 알게 된 것은 시대 흐름에 맞게 독자들이 선호하는 책 콘셉트가 있었다. 책 콘셉트는 스마트폰 시대 전과후로 나누어진다.

스마트폰이 없던 시대에는 책 콘셉트가 책 내용에 글만 있어도 괜찮았다. 그 이유는 글만 있는 책들이 대부분이고 생활 속에서 화려한 이미지, 영상에 노출되는 것이 한정되어 있었다.
하지만 지금은 어떤가? 스마트폰 시대에 하루 만에도 유튜브, 인스타그램, SNS 등으로 인해 수 백 개, 수 천 개의 화려한 이미지, 영상으로 눈이 아플 정도로 노출이 되고 있다. 이런 환경 속에서 책 콘셉트가 이미지는 하나도 없고 글만 있다면 책을 안 보는 사람들이 더 많아지고 책을 더 멀리하게 된다.

책을 좋아하는 사람들은 이미지가 있건 없건 책을 본다. 하지만 책을 좋아하지 않는 사람들은 이미지가 있어야 책을 보는데 좀 더 수월하다는 것이다. 책을 출간하려는 사람들은 책의 기본 사명감이 있어야 한다.

출간한 책으로 돈을 버는 것도 좋지만 자신 책으로 인해서 많은 사람들에게 도움, 영감, 삶의 지혜를 주어 지금 보다 나은 삶을 살아가기 위한 내비게이션 역할을 해줄 수 있는 책 출간을 해야 한다.

책을 보는 사람들을 타깃층 대상으로 책 내용을 쓰는 건 기본이지만 좀 더 나아가 책을 보지 않는 사람들, 책을 싫어하는 사람들이 우연히 자신 책을 봤을 때 "어라! 책 한 페이지만 봐도 졸음이 쏟아지는 사람이었는데 나에게는 책이 수면제였는데 이 책은 이미지, 스토리텔링도 많아서 끝까지 보게 된다. 태어나서 처음으로 끝까지 읽은 책이다. 독서에 눈을 뜨게 한 책이다. 이 작가에게 너무 고맙다."라는 말을 들을 수 있는 책을 출간하기 위한 책 콘셉트를 잘 잡아야 한다.

앞에서 필자의 책을 보고 "태어나서 처음으로 끝까지 읽은 책이다. 독서에 눈을 뜨게 한 책이다."라고 말했던 사람들에 말이 책이 많이 팔리는 기쁨 보다 1,000배는 더 기쁘고 행복했고 내가 살아가는 이유, 내가 존재하는 이유를 느끼게 해주었다. "나의 1%가 누군가에게는 살아가는 이유 100%가 될 수 있다."라는 말을 실제 경험했던 상황이었다.

솔직히 책을 좋아하는 1%들은 글만 있는 것을 더 선호한다. 하지만 대부분 사람들은 글만 있는 것을 싫어한다. 스마트폰으로 인해서 이미지, 영상, 화려함에 중독이 되어 있기 때문이다. 이런 환경 속에서 한 명이라도 자신 책을 읽게 만들기 위한 책 콘셉트가 중요하다고 강조하는 것이다.

그런데 안타깝게도 세계 어느 나라건 출판계 현실이 몇천 년이 지나도 책 콘셉트가 변하지 않고 있다. 지금 4차 산업 시대, AI 시대, 챗 GPT 시대 등 빠르게 변하고 있는 상황 속에서 몇 천 년 전 책 콘셉트와 지금과 별차이가 없고 극단적인 표현을 하면 똑같다는 것이다.

이미지를 보듯이 BC 2700년경 인류 최초의 '점토판' 책과 2024년 지금 책 콘셉트를 보면 비슷하다 못해 똑같다는 것이다. 책 재질인 흙, 종이, 잉크 차이 빼고는 똑같다는 것이다. 어떤 생각이 드는가? 고정형 마인드와 성장형 마인드를 가진 사람 차이를 알려 주겠다.

고정형 마인드를 가진 사람들은 "몇 천 년이 지나도 책 콘셉트는 변하지 않는다. 아무리 스마트폰으로 인해서 이미지, 영상, 화려함에 중독이 되어 있어도 책은 좋아하는 사람만 보기에 앞으로 책 콘셉트는 글만 쓰면 되겠다."

성장형 마인드를 가진 사람들은 "몇 천 년이 지나도 책 콘셉트가 변하지 않았다. 스마트폰으로 인해서 이미지, 영상, 화려함에 중독이 되어있는 환경에서 앞으로 화려함에 중독되어 가는 것이 더 심하면 심했지 덜하지는 않을 것이다. 지금 환경, 사람들 심리에 맞춰 책 콘셉트를 글과 이미지를 잘 조합해야겠다. 그래야만 다른 책과 경쟁에서 살아남을 수 있다."

자신은 고정형 마인드를 가진 사람인가? 성장형 마인드를 가진 사람인가? 가슴에 찔림이 있다면 변화할 기회가 온 것이고 가슴이 두근두근 거린다면 행동할 기회가 온 것이다.

가슴이 벅차 오른 다면 방탄book기술력(6가지 수입 창출 시스템 교육) 코칭 받을 기회가 온 것이다. 지금 당장 상담받길 바란다!

**♥ 최보규 방탄book기술력 창시자 010-6578-8295 ♥**

#. 세계 3대 혁신이 있다.
- 첫 번째, 스마트폰 혁신
· 1876년 미국의 알렉산더 벨(Alexander G. Bell)
· 2007년 스티브 잡스 아이폰 (아이팟 + 인터넷 + 폰)
- 두 번째, 자동차 혁신
· 1886년 세계 최초 가솔린 자동차 / 칼 벤츠가 발명한 '페이턴트 모터바겐'
· 2024년 벤츠 전기차
- 세 번째, 출판계 혁신
· **인류 최초의 책 '점토판' BC 2700년경**
· 방탄book기술력(수입 창출 6가지 방법)

지금 당신이 보고 있는 이 책이 세계 최초로 출판계의 혁신인 방탄book기술력이다. 지금 당신에게 천재일우 (천 년에 한 번 만난다는 뜻으로 좀처럼 만나기 어려운 기회) 온 것이니 조상님에서 감사하고 "내가 인생을 지

금까지 잘 살아서 이런 기회가 오는구나."라는 마음으로
제대로 배워서 자신을 알고 있는 사람들에게 필요한 사
람이 되길 바란다.

# 세계 1대 혁신!

## 스마트폰 혁신

**1876년**
**미국의 알렉산더 벨(Alexander G. Bell)**

**2007년 스티브 잡스**
**아이폰 ( 아이팟 + 인터넷 + 폰 )**

# 세계 3대 혁신!

## 출판계 혁신

**인류 최초의 책 '점토판'**
**BC 2700년경**

**2024년 현재**

**인류 최초의 책 ~ 24년 현재 책 차이점?**
**책 재질인 점토, 종이 차이 빼고는**
**글씨만 있는 것은 똑같다.**

## 방탄BOOK기술력
## 수입 창출 6가지 방법

# 세계 3대 혁신!

## 스마트폰 혁신

**1876년**
미국의 알렉산더 벨(Alexander G. Bell)

**2007년 스티브 잡스**
아이폰 ( 아이팟 + 인터넷 + 폰 )

## 자동차 혁신

**1886년 세계 최초 가솔린 자동차**
**칼 벤츠가 발명한 '페이턴트 모터바겐'**

**2024년 벤츠 전기차**

## 세계 최초! 출판계 혁신!

**인류 최초의 책 '점토판'**
**BC 2700년경**

**2024년 현재**

**인류 최초의 책 ~ 24년 현재 책 차이점?**
책 재질인 점토, 종이 차이 빼고는
글씨만 있는 것은 똑같다.

**방탄BOOK기술력**
**수입 창출 6가지 방법**

---

Google 자기계발아마존   ▶YouTube 방탄자기계발   NAVER 방탄book기술력   NAVER   최보규

# 세계 최초! 출판계 혁신!

책만 출간하고 끝나는 것이 아닌 자신 분야와 출간 한 책을 연결하여 <u>6가지 수입을 발생</u>시 킬 수 있는 <u>기술력</u>과 <u>100년 지속할 수 있는기 술력</u>을 마스터 한다.

**우리는 이것을 <u>방탄book기술력</u>이라 부른다.**

20,000명 심리 상담, 코칭, 종이책 150권, 전자책 250권 총 400권 책을 출간하면서 알게 된 사람들이 선호하는 책 콘셉트를 설명하겠다.

첫 번째, 글만 있는 책 콘셉트.

시중에 있는 책 90%가 글만 있는 책 콘셉트이다. 오해하지 말고 들었으면 한다. 글만 있는 책이 나쁘다고 말하는 것이 아니다. 앞에서 언급했듯이 몇 천 년이 지나도 책 콘셉트가 변하지 않고 있다는 것을 말하고 싶은 것이다. 글만 있는 콘셉트는 책을 좋아하는 사람들에게는 상관이 없다. 글만 있는 콘셉트가 익숙하기 때문이다. 하지만 책을 좋아하지 않는 사람들에게는 글만 있는 책 콘셉트는 독서에 중요성만 알고 있는 사람들에게는 늘 좌절하게 만든다. 시도는 늘 한다. 글만 있는 책 콘셉트는 늘 좌절하게 만들어 독포자(독서 포기자)가 되어가는 안타까운 상황이 벌어진다.

두 번째, 글과 글을 뒷받침해 주는 스토리텔링.

글 빨, 글 내공이 있는 작가라면 충분히 자신의 스토리만으로도 책 내용 전달이 되어 책을 이해하는데 문제가 없다. 하지만 글 빨, 글 내공이 없는 작가들이 90%이다. 작가의 스토리로는 독자들에게 책 내용 전달이 쉽지 않고 이해력도 떨어진다. 그래서 글 빨, 글 내공이 없고 책을 많이 써보지 않은 사람이라면 독서, 영상, SNS 등에서 나오는 스토리텔링을 자신 글과 접목을 하면 된다. 자신 글에 날개를 달아주는 것이 기존에 있는 스토리텔링을 융합하는 것이다. 그러기 위해서는 평상시 스마트폰을 최대한 활용해야 한다. 하루 만에도 수 백 개, 수천 개의 영상, 이미지, 좋은 글, 좋은 메시지 등을 본다. 캡처하거나 글을 복사해서 메모장에 저장해 두었다가 책 쓸 때만 활용(저작권 위반 사항 주의) 하는 것이 아니라 힘들고 지칠 때 한번 씩 보면 도움이 되고 지인들과 대화하다가 도움이 되는 메모가 생각이 나면 보내줄 수도 있다. 필자의 7,000개 메모가 종이책 150권, 전자책 250권 총 400권을 출간하는데 기초가 되었다.

**2,000권의 독서 습관과
7,000개의 메모 습관으로
400권의 책을 출간할 수 있었다.**

| 15년 2,032권 읽음 | 15년 7,626개 메모 | 종이책 150권, 전자책 200권<br>총 400권 출간 | 45년 방탄 습관 381가지 |

**기록은 기억을 이긴다.
기록이 모이면 꿈을 이룬다.
기록이 모이면 인생이 바뀐다.**

| 15년 2,032권 읽음 | 15년 7,626개 메모 | 종이책 150권, 전자책 200권<br>총 400권 출간 | 45년 방탄 습관 381가지 |

세 번째, 글과 글을 뒷받침해 주는 스토리텔링이 99℃ 물이라면 1℃를 올려 끓게 만드는 건 이미지 디자인.

**사람은 시각적인 동물이다. 시각적인 효과가 95%를 차지한다.** 지금 시대는 숏폼으로 인해서 집중도가 더 낮아지고 있다. 이런 현실 속에서 책을 쓰는 사람이라면 독자들에 집중력까지 감안해서 집중력을 끌어올릴 수 있는 책 콘셉트를 잘 정해야 한다.

지금 어떤 시대에 살고 있는가? 스마트폰으로 인해서 하루만 해도 영상, 이미지, 글... 눈이 아플 정도로 화려한 것을 수 만개는 본다. 한마디로 지금 시대 사람들의 평균 시각적인 수준이 높다는 것이다. 이런 상황에서 글만 있는 책이라면 집중도가 떨어진다. 호기심을 유발, 궁금증 유발 "이런 디자인은 처음 보는데 너무 신선하다. 럭셔리하다."라는 마음이 들어서 보고 싶도록 이미지도 있어야 집중도가 올라간다. 다음은 지금 현실 속 사람들의 집중력에 대한 내용이다.

겨우 8초, 금붕어보다 못한 인간의 집중력
소위 'MZ'라고 불리는 요즘 젊은 세대는 어렸을 때부터 늘 새로운 자극으로 가득한 디지털 환경에 노출된 채 자랐다. 그래서인지 한 가지 주제에 오랫동안 집중하기 상당히 어려운 뇌 구조를 지녔다고 한다. 뭔가에 집중할 수 있는 시간(Attention Span)에 관한 연구를 살펴보자. 아동이 주의해서 집중할 수 있는 시간은 얼마나 될까? '자신의 나이×1분' 정도라고 한다. 6세 어린이는 약 6분 정도 집중할 수 있다는 뜻이다. 이 시간은 개인에 따라 차이가 있고, 몰입하면 10~15분까지는 늘어날 수 있다. 너무 지루하지도 않고 그렇다고 아주 재미있지도 않은 평범한 수업을 하고 있다고 하자. 십 대 학생들은 보통 수업을 듣기 시작하면 약 10분 후부터 집중력이 떨어진다. 일반적으로 이들이 뭔가에 주의해서 집중할 수 있는 시간은 20분을 넘기기 어렵다. 따라서 수업 시작 후 10~20분이 지나면 신경전달물질이 고갈된 학생들은 이내 집중에 어려움을 느끼고 주의가 산만해진다. 그래서 유튜브 영상의 평균 길이는 15~20분이고, 테드(TED) 강연 길이는 18분이다. 집중력을 감안해 메시지를 확실히 전달하기 위한 시간이다. 드롭박스의 마케팅 신화를 쓴 실리콘밸리 최고의 마케터 션 엘리스(Sean Ellis)가 한 말을 약간 각색하여 들어보자.

"고객의 주의집중을 원하신다고요? 사업 규모의 확장을 위해서는 시장이 원하는 언어를 사용해야 합니다. 언어의 시장 적합성이 무엇보다 중요하죠. 잠재 고객의 마음을 움직일 수 있는 말을 상상해 보세요. 당신이 만든 제품을 고객이 마주할 때 어떻게 해야 가장 효율적으로 전달할 수 있을지 생각해 보셨나요? 고객이 좋아하지

않는 언어로 구애한다면 실패입니다. 제품 가치를 알아
줄 상대방이 없는 곳에서 헛스윙을 하는 거라고 생각하
면 됩니다." 여기서 왜 고객의 마음을 끌어당길 언어에
몰두해야 하는지 그 이유가 나온다. 스마트폰이 생기기
전 고객이 광고에 집중할 수 있는 시간은 12초였다. 이
제는 8초로 뚝 떨어졌다. 9초인 금붕어보다 못하다.

주의집중 시간의 변화
12초 - 2000년 인간의 평균 주의집중 시간
8초 - 2015년 인간의 평균 주의집중 시간
9초 금붕어의 주의집중 시간

인간의 평균 주의집중 시간 인간의 평균 주의집중 시간
금붕어의 주의집중 시간 왜 이런 일이 발생했을까? 주
변의 수많은 자극에 적응하다 보니 주의력이 줄어들었
다는 것이 통설이다. 생각해 보라. 우리는 매일매일 넘
치는 정보의 홍수 속에서 살아가고 있다.

수시로 오는 문자와 카카오톡 메시지, 귀찮아 들여다보
지도 않는 이메일처럼 하루하루 우리의 신경을 산만하
게 하는 요소가 차고 넘친다. 그 결과 집중해서 주의를
지속하는 시간이 줄어드는 것은 당연한 결과다. 게다가
여러 일을 한꺼번에 하는 멀티태스킹형 업무 방식에 길

들여진 젊은 세 대에게 이런 현상은 더욱 심각하게 다가올 수밖에 없다.

뇌 신경세포를 뜻하는 뉴런과 마케팅의 합성어인 뉴로마케팅(Neuro Marketing)의 연구 결과를 보자. 브랜드의 색상이 소비자로 하여금 다양한 감정을 불러일으킨다고 한다. 소비자들이 상품을 구매하는 데 있어 시각적 효과가 약 95%를 차지한다고 하니, 디자인과 색감이 큐레이터에게는 아주 중요하다.

색은 브랜드를 인식하는 강력한 수단으로, 그리고 소비자의 신뢰를 확보하는 무기로 작용한다. 빨간색 코카콜라와 초록색 스타벅스 로고가 소비자의 지갑을 열게 하는 강력한 마케팅 도구로 활용되고 있다는 것은 마케팅 세계에서는 익히 아는 이야기다.
《감정 경제학》

금붕어의 집중력이 9초인데 지금 시대 사람들의 집중력이 8초라는 말이 씁쓸하기만 하다. 지금시대 사람들의 심리를 알려주는 내용이었다.

어떤 분야든 지금 시대 사람들의 상태, 심리를 알아야만 공격적으로 영업, 마케팅을 할 수 있고 자신 분야 제품을 알릴 수 있는 것이다.

시각적인 효과가 95%를 차지한다는 것은 어마어마한 것이다. 그래서 책 콘셉트에 디자인이 중요하다고 말을 하는 것이다. 다시 한 번 강조하겠다. 사람들이 선호하는 책 콘셉트는 작가의 글을 뒷받침해주는 스토리텔링에 핵심 정리를 시켜줄 이미지 디자인이다.

예시)

작가 글(세 번째, 작가의 글을 뒷받침해 주는 스토리텔링이라는 99℃ 물에서 1℃를 올려 끓게 만드는 이미지 디자인)+ 스토리텔링(금붕어 스토리텔링)+ 이미지 디자인

- 초고 내용 (1개월 안에 끝내기? 여유를 가지고 끝내기?)

대부분 작가들이 초고는 최대한 빠르게 작업해야 한다고 알고 있다. 시중에 있는 책 쓰기 책, 책 출간 책들을 보면 평균적으로 말하는 초고 기간은 1년, 6개월, 3개월, 1달 안에 해야 된다. 라고 알고 있다. 될 수 있으면 초고를 빠른 시간 안에 끝내는 게 좋다. 그 이유는 글빨, 글 영감이 한번 집중해서 쓸 때 잘 나오고 글이 살아나기 때문이다. 초고 쓰는 기간이 길어지면 글을 쓰는 동기부여도 약해져서 책을 쓰는 열정이 식기 때문이다.

20,000명 심리 상담, 코칭, 종이책 150권, 전자책 250권 총 400권 책을 출간하면서 알게 된 것은 초고를 빠르게 작업해야 된다는 말은 49%만 맞다. 51%는 아니다. 49%만 맞는 이유는 책 쓰기, 책 출간이 직접적으로 자신 직업과 연관이 되어 시간의 여유가 없고 돈을 벌기 위함이라면 최대한 빠르게 단시간 안에 초고 작업을 끝내는 게 맞다. 하지만 책 쓰기, 책 출간이 직접적으로 자신 직업과 연관이 없고 시간적 여유가 있는 책 쓰기, 책 출간이라면 시간이 걸리더라도 상관은 없다.
자신 스타일, 자신 상황에 맞는 초고 작업을 하면 되는 것이다.

평균적으로 초고 내용 작업은 한글 파일(HWP)에서 한다. 출판사마다 원고 기준이 다르지만 평균적으로 초고 기준을 알려주겠다.

------------------------------------------------

한글 파일(HWP) → 편집 → 쪽 여백 → 쪽 여백 설정 → A4(국내판:210*297mm) → 용지 방향 세로 → 제본 맞쪽.

글자체: 바탕
글씨 크기: 10pt
줄 간격: 160%
장평 100%
사진 포함 시 '문서에 포함' 체크

쪽수는 100쪽 이상 써야지만 평균 책 한 권 250페이지 양이 나온다.

------------------------------------------------

초고때 한글 파일(HWP) 100쪽에 써야 된다. 1쪽을 하루, 3일, 1주일 등으로 나누어 초고를 써야 한다. 1주일에 1쪽씩 쓴다고 가정했을 때 1년이 총 52주이기 때문에 52쪽이 나온다. 1주일에 2쪽이면 104쪽이 나온다.

초고를 쓸 때 가장 중요한 것이 있다. 대부분 책 쓰기 책들이 말하는 것은 "표준어를 써야 되고 비속어는 쓰면 안 되며 사투리, 욕이 들어가면 안 되고... 등 자연스럽게 읽을 수 있고 거부감 없는 말투로 써야 된다."라고 나와 있다.

필자가 경험상 어떤 책이냐에 따라 다르다고 생각한다. 교재나, 학습용, 교육용, 전문 지식을 전달하는 책을 쓴다면 당연히 자제를 해야 되지만 대부분 일반적인 책이기에 일반적인 책이라면 표준어에 맞춰서만 쓰면 되는 것이다. 특히 처음 책을 쓰는 사람이라면 더더욱 힘들 것이다. 몇 글자 쓰고 맞춤법 검사기로 표준어 검사해서 쓴다면 몇 백 년은 걸릴 것이고 책 한 권 쓰다가 인생 끝난다.

초고를 빠른 시간에 쓰면 좋겠지만 글 빨, 글 내공이 있지 않는 한 머리에 뒤죽박죽 섞여 있는 내용을 글로 옮긴다는 게 어렵다. 사람마다 다를 수 있지만 필자는 책 10권을 출간 했을 때 글 빨, 글 내공이 나왔다. 방탄 book기술력 코칭 해보면 코칭 받는 사람들이 늘 하는 말이 있다. "머리에는 있는데 글로 표현하려니 잘 안됩니다."라는 하소연을 하는 사람들이 많았다. 누구나 겪는 인고의 시간이다. 그 시간을 극복해야만 글 빨, 글 내공이 나오는 것이다.

방탄book기술력 코칭 할 때 알려주는 팁을 한가지 오픈 하겠다. 머리에 있는 내용이 글로 표현하기가 어려울 때 최고의 방법은 녹음을 한 다음 녹음 한 것을 필사하면 된다. 필사하는 것 또한 쉽지 않다. 녹음한 것을 플레이 하고 정지해서 한 문장 필사하고 계속 반복한다는 것이 쉽지는 않다. 그래서 도구를 사용 하면 되는데 녹음했던 파일을 텍스트로 변환해 주는 프로그램을 사용 하더라 도 정확도가 떨어지기에 다시 체크를 해야 한다. (네이 버 검색: 클로바 노트)

필사 목적이 오로지 책을 출간하기 위한 동기부여만 있 다면 금방 지친다. 그래서 여러 가지 필사 동기부여를 해야 한다. 책을 출간하는 동기부여도 있지만 머리에 있 는 것을 말로 하면 1차로 정리가 되고 필사를 하면 2차 로 정리가 되어 핵심 내용이 다듬어진다. 자신 전문 분 야를 필사한다면 매뉴얼, 자료화가 만들어져서 진정한 전문가로 거듭나고 자신 분야 삼성(진정성, 전문성, 신뢰 성)이 향상된다.

짝퉁 전문가는 말로만 설명한다. 설명도 정리가 되지 않 아 어렵게 말한다. 명품 전문가는 설명도 쉽게 하지만 글을 통해 매뉴얼, 자료화를 만든다. 필사를 많이 하거나 책을 많이 쓰는 사람들 특징은 말을 조리 있게 잘하고 상황, 상대방을 이해하는 능력이 좋다. 스피치에서는 당당함, 자신감, 열정이 느껴진다. 필사는 인고의 시간이 필요하지만 인고의 시간만큼 얻어 가는 것이 많다는 것을 명심하자.

#. 초고를 잘 쓰려면 5라를 해야 한다.
1. 표준어는 잊고 그냥 써라!
2. 사투리는 신경 쓰지 말고 그냥 써라!
3. 비속어 신경 쓰지 말고 그냥 써라!
4. 욕 신경 쓰지 말고 그냥 써라!
5. 생각나는 대로 그냥 써라!

초고는 평상시 가족들과, 친한 친구들과 대화하는 말투로 쓰면 된다. 그래야 부담 없이 머리에 있는 것이 나온다. 초고를 다 쓰면 교정, 교열은 전문가에게 맞기면 된다. 처음 책 쓰는데 너무 힘들게 쓰지 말라는 것이다.

정성스럽게 온 힘을 다해서 어렵게 쓰는 책과 대충 쓰는 책을 대하는 태도가 다르겠지만 처음부터 이것저것 신경을 너무 많이 써서 초고를 쓰면 빨리 지친다. 자신 전문분야가 아닌 일반 책을 쓸 거라면 힘을 빼고 쓰는 게 좋다.

마라톤 풀코스를 뛰어보고 알게 된 것이 있다. 마라톤에서 가장 중요한 것이 나다운 페이스다. 자신을 앞서가는 사람들 주위 사람들을 의식하는 페이스는 완주를 못한다. 초고 쓰기 완주를 하기 위해서는 나다운 글쓰기 페이스가 중요하다는 것이다.

방탄book기술력을 코칭 할 때 늘 하는 말이 있다. "최보규 방탄book기술력 창시자와 함께 한다면 온 힘을 다해, 온 정성을 다해 3대까지 가는 책을 쓰기 위해 집중해야 되지만 혼자 책을 쓴다면 동기부여해 줄 사람이 없기에 닥고(닥치고 무조건 고고고)해야 합니다. 방탄 book기술력을 만난 건 천재일우(천 년에 한 번 만난다는 뜻으로 좀처럼 만나기 어려운 기회)라 생각하시고 믿고 따라오시면 됩니다. 책 쓰기, 책 출간, 인생 페이스메이커가 되어 주겠습니다."

**20,000명 심리 상담, 코칭으로 알게 된**
**20,000명이 바라는 책 쓰기, 책 출간 교육, 코칭**

 # 10가지

**1** 한번 출간한 책으로 <u>평생 활용하는 방법을</u> 알려주는 교육, 코칭

**2** <u>로또 2등과 같은 기획출판을 하기 위해서 출판기획서 제작 스트레스, 거절 메일을 확인 하는 스트레스, 370가지 스트레스... 등</u> 마음고생 덜 하고 책 출간할 수 있는 책 쓰기 교육, 코칭

**3** 책 활용 수입 창출 시스템 교육을 검증 된 전문가에게 한 곳에서 <u>시간, 돈 낭비를 줄여주는</u> 책 쓰기 교육, 코칭

**4** 한번 코칭으로 <u>100년 a/s, 피드백, 관리해</u>주는 책 쓰기 교육, 코칭

**5** 책 출간 후 <u>자신 분야 삼성(진정성, 전문성, 신뢰성)을 높여 자신 분야 내공, 가치, 몸값</u>까지 올릴 수 있는 책 쓰기 교육, 코칭

**6** 출간한 책으로 <u>강사가 되어 은퇴 후 제2의 직업</u>을 할 수 있는 책 쓰기 교육, 코칭

 **7** 책 출간 후 자신 분야 코칭 전문가가 되어 은퇴 후 <u>제3의 직업까지도 할 수 있는</u> 책 쓰기 교육, 코칭

**8** 책 출간 후 온라인 콘텐츠까지 제작을 해서 <u>비수기 없는</u> 책 쓰기 교육, 코칭

**9** 책 출간 후 디지털 콘텐츠까지 제작을 해서 <u>월세, 연금성 수입까지 발생</u>시킬 수 있는 책 쓰기 교육, 코칭

**10** 책 한 권 출간하고 끝나는 것이 아니라 <u>100년 동안 책을 무한대로 출간</u> 할 수 있는 책 쓰기, 책 출간 기술력을 교육, 코칭

**책 쓰기, 책 출간 교육, 코칭은 누구나 한다.**
**<u>6가지 수입 창출</u> 책 쓰기, 책 출간**
**교육, 코칭은 방탄BOOK 창시자 뿐이다.**

특허청 등록
최보규 강사책출간 코칭전문가
등록 번호: 제 40-2200794 호

## ★★★★★ 차별이 아닌 초월 시스템 ★★★★★

### 타사와 비교불가 초월 혜택!
### 자신 분야 온라인 건물주가 되어 100년 수입 창출!

Google 자기계발아마존 　 ▶YouTube 방탄자기계발 　 NAVER 방탄book기술력 　 NAVER 최보규

# 이코노미 PT

## 기본 5H : 500,000원

## CHECK POINT

☑ 기본 1회(1일=5H)
☑ 6가지 수입 창출 시스템 매뉴얼 설명
☑ 150년 A/S

# ★★★★★ 차별이 아닌 초월 혜택 ★★★★★

 Google 자기계발아마존　▶YouTube 방탄자기계발　NAVER 방탄book기술력　 NAVER 최보규

## 이코노미 PT

### 기본 5H : 500,000원

- ☑ 150년 A/S (세계 최초)
- ☑ 마스터한 분야 자격증 1종 취득
- ☑ 방탄자기계발사관학교 강사 위촉
- ☑ 방탄자기계발사관학교 마스터 위촉
- ☑ 비지니스 PT 10% 할인
  (10만원 상당)
- ☑ 퍼스트클래스 PT 10% 할인
  (30만원 상당)
- ☑ 마스터한 분야 실전 2시간 강의
  교안 제공. (강사료 200만원 상당)

# ★★★★★ 차별이 아닌 초월 시스템 ★★★★★

## 타사와 비교불가 초월 혜택!
## 자신 분야 온라인 건물주가 되어 100년 수입 창출!

| Google 자기계발아마존 | YouTube 방탄자기계발 | NAVER 방탄book기술력 | NAVER 최보규 |

# 비지니스 PT

## 기본10H : 1,000,000원

## CHECK POINT

☑ 기본 1회(2~3일=10H)

☑ 6가지 수입 창출 시스템 실전 훈련

☑ 150년 A/S, 피드백

특허청 등록
최보규 강사책출간 코칭전문가
등록 번호: 제 40-2200794 호

★★★★★ **차별이 아닌 초월 혜택** ★★★★★

| Google 자기계발아마존 | ▶YouTube 방탄자기계발 | NAVER 방탄book기술력 | NAVER 최보규 |

# *비지니스 PT*

## 기본 10H : 1,000,000원

- ☑ 150년 A/S, 피드백
- ☑ 마스터한 분야 자격증 1종 취득
- ☑ 방탄자기계발사관학교 전임 강사 위촉
- ☑ 방탄자기계발사관학교 전임 마스터 위촉
- ☑ 퍼스트클래스 PT 10% 할인
  (30만원 상당)
- ☑ 강사 맞춤 트레이닝 비대면 1회 제공
  (50만원 상당)
- ☑ 마스터한 분야 실전 2시간 강의 교안
  제공, 1:1 맞춤 교안 설명
  (강사료 200만원 / 1:1 맞춤 100만원 상당)

# ★★★★★ 차별이 아닌 초월 시스템 ★★★★★

## 타사와 비교불가 초월 혜택!
## 자신 분야 온라인 건물주가 되어 100년 수입 창출!

Google 자기계발아존    ▶YouTube 방탄자기계발    NAVER 방탄book기술력    NAVER 최보규

# 퍼스트클래스 PT

## 기본 15H : 3,000,000원~

## CHECK POINT

☑ 기본 1회(15H) / (2회 ~ 5회 선택 사항)

☑ 6가지 수입 창출 **자동 시스템 구축**

☑ 150년 A/S, 피드백, VIP맞춤 관리

## ★★★★★ 차별이 아닌 초월 혜택 ★★★★★

# 퍼스트클래스 PT

## 기본 15H : 3,000,000원~

- ☑ 150년 A/S, 피드백, VIP맞춤 관리
- ☑ 자격증 3종 취득 (150만원 상당)
- ☑ 방탄자기계발사관학교 지회장 위촉
- ☑ 종이책, 전자책 출간 후 네이버 인물 등록
- ☑ 20H, 30H, 40H, 50H PT 20% 할인
- ☑ 강사 맞춤 트레이닝 대면 1회 제공
  (50만원 상당)
- ☑ 프로필 유튜브 홍보 영상 제작
  (100만원 상당)
- ☑ <u>마스터한 분야 풀 패키지</u> (교안 제공,
  1:1 맞춤 교안 설명, 청강 1회 제공)
  (강사료 200만원 / 1:1 맞춤 100만원 /
  청강 1회 200만원 상당)

# ★★★★★ 차별이 아닌 초월 시스템 ★★★★★

## 타사와 비교불가 초월 혜택!
## 자신 분야 온라인 건물주가 되어 100년 수입 창출!

Google 자기계발아존    ▶YouTube 방탄자기계발    NAVER 방탄book기술력    NAVER    최보규

## 방탄book기술력 전문가 과정 속성 PT

## 기본 30H : 5,000,000원~

## CHECK POINT

☑ 기본 1회(5H) / (5회 ~ 10회 선택 사항)

☑ 6가지 수입 창출  **자동 시스템 구축**

☑ 150년 A/S, 피드백, VIP맞춤 관리

특허청 등록 ◎
최보규 강사책출간 코칭전문가
등록 번호:제 40-2200794 호

# ★★★★★ 차별이 아닌 초월 시스템 ★★★★★

## 타사와 비교불가 초월 혜택!
## 자신 분야 온라인 건물주가 되어 100년 수입 창출!

| | | | |
|---|---|---|---|
| Google 자기계발아마존 | ▶ YouTube 방탄자기계발 | NAVER 방탄book기술력 | NAVER 최보규 |

## 방탄book기술력 전문가 과정 6개월 PT

방 탄
book 기술력
전문가

## 기본 30H : 10,000,000원~

## CHECK POINT

☑ 기본 1회(5H) / (5회 ~ 10회 선택 사항)

☑ 6가지 수입 창출 **자동 시스템 구축**

☑ 150년 A/S, 피드백, VIP맞춤 관리

96

| CLASS | 내용 |
|---|---|
| class 1 | 자신 분야 연결 6가지 수입 창출 기술력<br>컨설팅 |
| class 2 | 자신 분야 삼성(진정성, 전문성, 신뢰성) 향상<br>책 쓰기, 책 출간 기술력 PT |
| class 3 | 자신 전문 분야로 제2수입 창출 기술력 PT |
| class 4 | 자신 전문 분야로 제3수입 창출 기술력 PT |
| class 5 | 온라인, 디지털 콘텐츠 기획, 제작 기술력 PT<br>(4,5,6 수입 / 100년 지속적인 수입 창출 PT) |

# 최보규 방탄동기부여 전문가

## 검증된 PT, 강의, 맞춤 코칭, 컨설팅

🕊 특허청 등록 🕊
**최보규 강사책출간 코칭전문가**
등록 번호: 제 40-2200794 호

최보규 대표
010-6578-8295

🕊 특허청 등록 🕊
**최보규 자기계발코칭 창시자**
등록 번호: 제 40-2072344 호

### 방탄자기계발사관학교는 국가등록 민간자격증 발급 기관! 명품 인재 양성 기관!

| 리더십코칭전문가 | 동기부여코칭전문가 | 자기계발코칭전문가 | 강사코칭전문가 | 책쓰기코칭전문가 |
|---|---|---|---|---|
| ★★★★ | ★★★★ | ★★★★ | ★★★★ | ★★★★ |

| 리더 분야 | 동기부여 분야 | 자기계발 분야 | 강의, 강사 분야 | 책쓰기, 책출간 분야 |
|---|---|---|---|---|
| 〈저자 최보규〉 | 〈저자 최보규〉 | 〈저자 최보규〉 | 〈저자 최보규〉 | 〈저자 최보규〉 |

| | | | | |
|---|---|---|---|---|
| 방탄 리더십 | 7대 동기부여 | 7대 자기계발 | 강사 7대 의무교육 | 책 쓰기 동기부여 |
| 리더 7대의무교육 | 변화,성장동기부여 | 변화,성장자기계발 | 강사 인성, 매너 | 책 출간 동기부여 |
| 리더 품위유지의무 | 비전 동기부여 | 비전 자기계발 | 강사 품위유지의무 | 작가 품위유지의무 |
| 리더 은퇴, 재테크 | 열정 동기부여 | 열정 자기계발 | 강사1~3년 차 | 책 쓰기, 책 출간 10G |
| 리더 동기부여 | 사원 동기부여 | 사원 자기계발 | 강사료 올리기 위한 준 | 메뉴얼, 시스템. |
| 리더 스피치 | 임원진 동기부여 | 임원진 자기계발 | 비, 스펙 쌓기. | 100권 출간으로 월세, |
| 리더 사명감, 인성 | 직급별 동기부여 | 직급별 자기계발 | 강사4~10년 차 | 연금성 수입 창출전수. |
| 리더 기본기, 태도 | 사랑 동기부여 | 사랑 자기계발 | 강사료 올리기 의한 준 | 강의 교안으로 책 쓰고 |
| 리더 다짐, 멘탈 | 자존감 동기부여 | 자존감 자기계발 | 비, 스펙 쌓기. | 책 출간. |
| 리더 습관, 행복 | 자신감 동기부여 | 자신감 자기계발 | 강사10~20년 차 | 출간한 책으로 강의 교 |
| 리더 인간관계 | 자기관리 동기부여 | 자기관리 자기계발 | 강사료 올리기 위한 준 | 안 작업. |
| 인재 양성 매뉴얼 | 자기계발 동기부여 | 자기계발 자기계발 | 비, 스펙 쌓기. | 출간한 책으로 온라인, |
| 리더 감정컨트롤 | 멘탈 동기부여 | 멘탈 자기계발 | 강사 스킬UP | 디지털 콘텐츠 제작. |
| 리더 스트레스관리 | 습관 동기부여 | 습관 자기계발 | 강사 트레이닝 | 6가지 수입을 창출 하 |
| 리더 라포형성기법 | 긍정 동기부여 | 긍정 자기계발 | 강의 스토리텔링 기법 | 는 책 쓰기, 책 출간. |
| 리더 상담기법 | 인간관계 동기부여 | 인간관계 자기계발 | 강의 SPOT 기법 | 100년 지속 할 수 있 |
| 리더 코칭기법 | 인재양성 동기부여 | 인재양성 자기계발 | 강사 양성 매뉴얼 | 는 기술력을 배우는 책 |
| 리더 스토리텔링 | 행복 동기부여 | 행복 자기계발 | 강사 양성 시스템 | 쓰기, 책 출간. |

| Google 자기계발아마존 | ▶YouTube 방탄자기계발 | NAVER 방탄자기계발사관학교 | NAVER 최보규 |
|---|---|---|---|

99

## 3) 퇴고, 탈고의 본질

한글(HWP)원고 작업에 마지막 단계인 퇴고, 탈고다.

책 쓰기 5단계
원고 → 초고 → 퇴고 → 탈고 → 투고

**원고는 책을 쓰기 위한 한글(HWP)원고 기본 규격 세팅 단계다.**
초고는 초벌로 쓴 원고다.
퇴고는 원고를 고쳐 쓰는 단계다.
탈고는 원고를 마무리하는 단계다.
투고는 마무리 한 원고를 출간하기 위해 출판사에 보내는 단계다.

투고의 해석 "내 원고 한번 읽어 보고 대중적으로 인기가 있을 거 같거나 돈이 될 거 같으면 1,000만 원 ~ 3,000만 원 투자해서 출간 해주세요." 라는 직설적인 의미가 있다.
이것을 로또 2등과 같다고 하는 기획출판이라고 한다. 그래서 아무나 기획출판을 하지 못한다. 필자의 대표적인 기획 출판의 책이 《나다운 방탄멘탈》이다. 300개가 넘는 출판사에 출판 기획서를 만들어서 보냈다. 거절 메일이 몇 개가 왔을 거 같은가? 누군가는 투고 스트레스 때문에 원형 탈모가 오고 소화불량, 우울증까지 걸린 사람도 있다. 당연한 것이다. 1,000만 원 ~ 3,000만 원 (책 한 권 작업하는 모든 비용인 인건비, 책 부수, 홍보비, 유통비, 물류비...)을 투자해 주는데 아무나 기획출판을 해주겠는가? 출판사에서는 리스크를 감수하고 기존에 경험과 가능성으로 기획출판을 하기 위해서 신중에 신중할 수밖에 없다. 하루 만에도 대형 출판사에 평균 투고 원고가 100개 이상이 온다고 한다.

그래서 대부분 책 출간하는 사람들이 자비출판, 대필 출판을 한다. 돈만 있으면 투고 스트레스 없이 책을 출간할 수 있기 때문이다. 그래서 시간의 여유가 없고 책 쓰기를 해보지 않은 사람들, 국회의원, CEO, 유명인사들 대부분이 대필 출판을 한다. 대필 출판이 불법, 이상한 것이 아니다. 머릿속에 있는 내용을 말로는 하기 쉬운데 글로 쓰고 정리하는 것이 힘들기에 대필 전문가에게 의뢰를 해서 책을 출간한다. 자비 출판은 자신이 써 놓은 원고가 있는 상태에서 100만 원 ~ 500만 원 들어가고 대필 출판은 원고가 없어도 가능하며 기본 400만 원 ~ 1,000만 원까지 들어간다. 대필 출판은 책 출간이 아니라는 말이 있다.

'책을 출간 한다.'기 보다는 '책을 산다.'라는 말이 더 가깝다. 그래서 원고를 직접 써본 사람과 안 써본 사람 차이는 하늘과 땅 차이다. 대필 출판인지 아닌지 알 수 있는 방법이 있다. 그것은 방탄book기술력 코칭 때 배우게 된다.

책을 한 권 출간하면 2권 ~ 3권을 출간할 수 있는 가능성이 생기고 2권 ~ 3권을 출간하면 10권을 출간할 수 있는 가능성이 생기며 10권을 출간하면 100권을 출간할 수 있는 가능성이 생긴다. 한마디로 한 가지를 이루면 더 큰 것을 이룰 수 있는 개미 성취감이 누적되어 상상할 수 없는 결과가 나오는 것이다.

필자가 종이책 150권, 전자책 250권 총 400권 출간할수 있는 비결 중에 한 가지가 독립(개인, 자가)출판인 방탄book기술력으로 출간 했다는 것이다.

지금 당신이 보고 있는 이 책의 내공, 가치 값어치가 책값의 1억 배는 가져간다는 것을 명심해야 한다. 단언컨대 대한민국, 세계 어디에서도 방탄book기술력을 배울수 없다. 오직 방탄book사관학교에서만 가능하다.

4) 책 출간을 위한 체크리스트

- 오타 확인 (오타 체크를 하면 할수록 계속 나오는 이유)

**다음은 오타 체크를 하면 할수록 계속 나오는 이유가 왜 그러는지 깨닫게 해주는 내용이다.**

출간 후 대놓고 보이는 오타! 왜 여러 번 퇴고해도 못 찾을까? 읽지 않고 보기 때문이다. 내가 쓴 글은 이미 내용을 잘 알고 있다. 이 문장 다음에 무슨 내용이 나올지 이미 안다. 출판사 교정 교열 담당자도 마찬가지. 여러 차례 반복해서 읽다 보면 자연스럽게 내용이 외워진다. 그렇게 되면 '읽는다.'고 생각하지만 착각이다. 실제로는 그저 눈으로 '보기만' 한다.
글 전체를 텍스트가 아니라 하나의 이미지로 인식하는 것이다. 그러니 첫 줄부터 대놓고 오타가 있어도 발견하지 못하는 일이 생긴다. 남이 쓴 글에 오타가 잘 보이는 이유기도 하다. 내용을 모르니 자세히 '읽기' 때문이다.
이것이 퇴고 과정에서 한 번은 소리 내어 읽어야 하는 이유다. 김영하 작가님의 책 <보다 읽다 말하다>라는 제목이 정답을 말하고 있다. 보지 말고 입으로 소리 내어 읽어야 한다.
<네이버 블로그 카루의 프리랜서 라이프>

오타 체크하는 방법이 여러 가지가 있다. 필자가 하는 방법을 소개하겠다. 네이버 맞춤법 검사, 한국어 맞춤법/문법 검사기다. 가장 많이 사용하는 것이 네이버 맞춤법 검사기다. 100% 정확하지는 않지만 간접적인 퇴고하기 위한 오타 체크로는 쓸만하다.

필자가 하는 방식은 이렇다.
1차로 작업해 놓은 원고 내용을 복사해서 네이버 맞춤법 검사기에 300자 이하로 붙여 넣기 하고 몇 백번 반복으로 전체 원고 오타 체크한다. 2차로 직접 목소리를 내면서 읽고 오타 체크를 한다. 3차로 원고 전체 인쇄를 해서 3자에게 오타체크를 부탁한다. (같은 분야 종사자, 책 분야 종사자, 아내, 친구, 지인...)

원고 퇴고는 오로지 글 오타 체크가 주목적이 아니다. 퇴고의 주목적은 자신이 쓴 글을 다시금 정리하고 다듬어서 자신 분야 삼성(진정성, 전문성, 신뢰성)을 향상, 선한 영향력을 끼치기 위한 인생, 사람들에게 도움이 되는 인생, 세상에 필요한 사람이 되기 위한 인생, 지혜로운 인생을 살아가기 위한 행동을 하게 만드는 작업이다.

퇴고를 편하게 하고 싶다면 교정, 교열 전문가에게 맡겨도 된다.

A4 기준 / 글자 크기 10 / 줄 간격 160%
장당 1,000원 ~ 10,000원
(100페이지: 1,000*100= 100,000원)
(100페이지: 5,000*100= 500,000원)
A5는 500원 ~ 5,000원

전문가 일지라도 100% 오타 체크가 되지 않는다. 1차 체크하고 받아서 자신이 체크하고 다시 보내면 2차 체크하고 자신이 체크하는 식으로 3차까지 하고 3차 이후에는 추가 비용이 발생한다.

– 이미지 삽입 후 위, 아래, 좌, 우 간격 확인

한글(HWP)원고에 JPEG 파일을 삽입 하면 JPEG 이미
지가 한글 규격 세팅해 놓은 규격대로 위, 아래, 좌, 우
변화 없이 삽입되는데 줄 간격은 맞지 않아서 이미지를
한 장씩 맞춰 줘야 한다.

- 머리말 입력

머리말의 국어사전 뜻.

책이나 논문 따위의 첫머리에 내용이나 목적 따위를 간략하게 적은 글. 말이나 글 따위에서 본격적인 논의를 하기 위한 실마리가 되는 부분.

<국어사전>

간단히 정리를 하면 책이 추구하는 목표, 방향이라고 생각하면 된다. 다음으로 나오는 2권의 책 머리말을 참고하자. 《300만원 동기부여 강의》, 《1조 리더십 강의》

방탄동기부여 PPT를 《300만원 동기부여 강의》 책으로 출간 했던 머리말.

## 머리말

세상에 동기부여 못하는 사람은 없다. 단지 동기부여 잘하는 방법을 모를 뿐이다.

특허청 등록! 등록 번호: 제 40-2072344 호

[최보규 자기계발코칭 창시자]

20,000명 심리 상담, 코칭 / 15년 2,000권 독서

자기계발서 100권 출간 / 강사 15년, 강의 6,000회

7G 직업

(출판사 대표, 작가, 심리 상담사, 코칭 전문가, 강사, 유튜버, 한집의 가장)

45년간 습관 320가지 만듦...

많은 경력과 시행착오, 대가 지불, 인고의 시간을 통해 알게 된 동기부여를 세계 최초로 공개한다.

스마트폰은 사용하지 않아도 배터리가 소모되듯 동기부여 또한 숨만 쉬어도 소모가 된다. 누군가에 의해서 충전하면 하루(1일) 가지만 초고속 충전하는 방법을 알면 100년 지속할 수 있다.

어떤 강의에서도 말하지 못한 동기부여!
어떤 강사도 말하지 못한 동기부여!

어떤 책에도 없는 동기부여!
어떤 영상에서도 볼 수 없는 내용의 동기부여!

방탄리더십 PPT를 《1조 리더십 강의》 책으로 출간 했던 머리말.

## 머리말

3고(고물가, 고금리, 고환율) 시대, 포노 사피엔스 시대, 4차 산업 시대, AI시대, 챗GPT 시대... 빠르게 변하는 현실 속에서 점점 더 힘들어지는 상황을 극복하고 차별화 리더십이 아닌 초월 리더십으로 업데이트하기 위한 방탄리더십 5단계 시스템!

1단계
노벨상 수상자 리더십, 성공한 리더의 리더십은 다 잊어라! 4차 산업 시대는 4차 리더십인 방탄 리더십 업데이트를 통해 천재지변 리더가 아닌 천재일우 리더
2단계
스트레스 관리, 마인드컨트롤이 잘 되는 리더 자존감, 멘탈 배터리 고속 충전하는 방법
3단계
삼성(진정성, 전문성, 신뢰성)을 높이는 습관을 통해 리더 행복 초고속 충전하는 방법
4단계

리더 자기계발, 동기부여책 200권, 영상 300개, 교육을 들어도 리더 자기계발, 동기부여가 안 되는 이유

5단계

퇴사를 막고 인재가 오래 머물게 하는 방탄 리더 품위 유지의무 10계명

리더는 누구나 하지만 방탄 리더는 아무나 못한다.

방탄 리더 1명이 10만 명을 변화시키고 먹여 살린다.

누구나 방탄 리더가 될 수 있었다면 난 절대로 방탄 리더를 선택하지 않았을 것이다.


어떤 강의에서도 말하지 못한 리더십!

어떤 강사도 말하지 못한 리더십!

어떤 책에도 없는 리더십!

어떤 영상에서도 볼 수 없는 내용의 리더십!

최보규 천재일우 멘토
천재일우 멘토 코칭전문가

"당신은 제가 좋은 사람이 되고 싶도록 만들어요!" 라는
마음을 들게 하여 실천하게 만드는
천재일우 멘토가 되어 주겠습니다.
잘난 멘토가 아닌 진실한 멘토가 되어 주겠습니다.
대단한 멘토가 아닌 좋은 멘토가 되어 주겠습니다.
멋진 멘토가 아닌 따뜻한 멘토가 되어 주겠습니다.
유명한 멘토가 아닌 필요한 멘토가 되어 주겠습니다.

천재일우 멘토 코칭전문가 최보규

목차는 책 전체 흐름을 알려주는 곳이고 책을 구매할 때 디테일하게 보는 곳이다. 그래서 시중에 같은 분야에 있는 책들과 차별화를 느낄 수 있는 목차 문구를 만들어야 한다.

책 내용과 동떨어지지 않고 "어라! 이 책 목차는 같은 분야에 책들과 다르다. 신선하다. 호기심이 생긴다."라는 느낌을 주어야 한다. 다음으로 나오는 출간했던 《300만 원 동기부여 강의》 책 목차를 참고하자.

# 책 목차

# 목차 입력

## 목차

◉ 300만 원 동기부여 강의 머리말
◉ 강의 스펙, 가격, 내용, 값어치
◉ 80억 분의 1 방탄동기부여 전문가 소개
◉ 300만 원 동기부여 강의 핵심 내용

◈ 0장. 세상 모든 사람의 마음을 열게 하는 강의집중 기법! 아이스브레이킹 기법!

◈ 1장. 동기부여 고름,신,편 깨기!
(고정관념, 틀, 선입견, 편견)
CLASS 1. 자기계발, 동기부여 책 200권, 영상 300개, 교육을 늘어도 자기계발, 동기부여가 안 되는 이유?

◈ 2장. 노오력 동기부여가 아닌 올바른 노력 동기부여!
CLASS 2. 노력이 배신하는 시대! 배신 안 당하기 위한 올바른 노력 동기부여

◈ 3장. 시간, 돈 낭비를 줄이기 위한 동기부여!

CLASS 3. 아카데믹 스마트 동기부여!
스트리트 스마트 동기부여!
◈ 4장. 세상에서 가장 강력한 동기부여는 사람이다!

CLASS 4. 자신, 자신 분야를 동기부여 시켜 줄 수 있는 사람 찾는 5가지 방법!

◈ 5장. 3고 시대! 부트폴리오 커리어 시대!
CLASS 5. 은퇴 나이 49세! 한 분야 전문성으로 힘든 시대를 극복하기 위한 방탄 동기부여!

◈ 총정리(비드엔드법칙)
◈ 세계 최초 방탄강사 사관학교
◈ 지속 석인(100년) 수입을 창출할 수 있는 기술력을 체계적으로 배우는 방탄자기계발사관학교

◈ 참고문헌, 출처

6                                              7

원고 1페이지부터 마지막 페이지까지 한 장씩 보면서 페이지 번호를 입력하면 된다. 페이지 번호가 틀리면 안 되기에 페이지 번호 입력한 다음에 한 번 더 확인해 주면 좋다. 방탄동기부여 PPT를 《300만원 동기부여 강의》 책으로 출간했던 목차 페이지 번호를 참고하자.

## 목차 페이지 번호

### 목차

- 300만 원 동기부여 강의 머리말 004
- 강의 스펙, 가치, 내공, 값어치 008
- 80억 분의 1 방탄동기부여 전문가 소개 024
- 300만 원 동기부여 강의 핵심 내용 052

- 0장. 세상 모든 사람의 마음을 얻게 하는 강의집중 기법! 아이스브레이킹 기법! 068

- 1장. 동기부여 고.틀.선.편 깨기! 080
  (고정관념, 틀, 선입견, 편견)
  CLASS 1. 자기계발, 동기부여 책 200권, 영상 300개, 교육을 들어도 자기계발, 동기부여가 안 되는 이유? 091

- 2장. 노오력 동기부여가 아닌 올바른 노력 동기부여! 112
  CLASS 2. 노력이 배신하는 시대! 배신 안 당하기 위한 올바른 노력 동기부여 113

- 3장. 시간, 돈 낭비를 줄이기 위한 동기부여! 130
  CLASS 3. 아카데믹 스타트 동기부여! 131
  스트리트 스마트 동기부여!
- 4장. 세상에서 가장 강력한 동기부여는 사람이다! 192
  CLASS 4. 자신, 자신 분야를 동기부여 시켜 줄 수 있는 사람 찾는 5가지 방법! 193

- 5장. 3고 시대! 포트폴리오 커리어 시대! 222
  CLASS 5. 은퇴 나이 49세! 한 분야 전문성으로 힙든 시대를 극복하기 위한 방탄 동기부여! 223

- 총정리(피드엔드법칙) 240
- 세계 최초 방탄강사 사관학교 272
- 지속적인(100년) 수입을 창출할 수 있는 기술력을 체계적으로 배우는 방탄자기계발사관학교 310

- 참고문헌, 출처 353

이미지, 스토리텔링, 책에서 발췌한 스토리텔링, 기사 내용, 보도 자료, 영상 정리한 내용, 유튜브 영상을 정리한 내용 등이 있다면 출처를 정확하게 밝혀야 한다.

출처를 남기지 않아 법적 조치(저작권법)를 당할 수도 있다는 것을 명심하자.

## 참고문헌, 출처 정리

◈ 참고문헌, 출처

《확신》롭 무어, 다산북스, 2021
《유튜브 퀴즈코리아》 / 《슈퍼맨이 돌아왔다》
《SNL》 / 《캐나다 캘거리의 알베타 헬스 서비스 연구팀》
《포스코》 / 《다노》
《Innovation Excellence》 'The Neuroscince of Storytelling'
《유튜브 터닝포인트 - 위대한 성공의 시작점》
《참사랑, 오스틀로이드 부족의 이야기》
《유튜브 명정의 기쁨붙기》
《부자의 사고 빈자의 사고》이구치 아키라, 한스미디어, 2015
《중앙일보 마이크로소프트사 김립 "빅데이터와 인공지능, 그리고 병상"》
《마음을 밥벼주는 소급 1》유동범, 옮지이는 책, 1997
《그러니까 상상혀라》최윤규, 고즈윈, 2012
《당신은 지금 무엇을 생각하는가》이규성, 라이온북스, 2013
《통찰의 기술》신병철, 지형, 2008
《관계의 힘》레이먼드 조, 한국경제신문사, 2013
《유튜브 EBS 전강》
《백년허리 1》정선근, 언행클링, 2021
《현대카드》 / 《유튜브 터닝포인트 - 위대한 성공의 시작점》
《TV조신》 / 《SBS 드라마 낭반닥히 집사부》
《유튜브 사물공이 잡학지식》
《거녤 곳 가수 싸이》 / 《페이스북 ARI》 / 《페이스북》

353

- 원고 마지막 장 판권지 입력

출판의 중요한 정보가 있는 마지막 페이지다.
bookk출판사 양식을 참고하고 이미지는 출간 승인 완료
된《300만원 동기부여 강의》책 판권지다.

어린 왕자(제목을 적어주세요)

발　행 | 2024년 00월 00일
저　자 | 생텍쥐 페리(저자명, 필명을 적어주세요)
펴낸이 | 한건희
펴낸곳 | 주식회사 부크크
출판사등록 | 2014.07.15.(제2014-16호)
주　소 | 서울특별시 금천구 가산디지털1로 119 SK트윈
타워 A동 305호
전　화 | 1670-8316
이메일 | info@bookk.co.kr

ISBN |

www.bookk.co.kr

# 판권지
## (종이책 출간을 위한 최종 점검)

## 300만원 동기부여 강의
(동기부여 일타강사! 동기부여 사용 설명서!)


발 행 | 2023년 11월 11일
저 자 | 최보규
편 집 | 서윤희
디자인 | 최보규
마케팅 | 최보규
펴낸이 | 한건희
펴낸곳 | 주식회사 부크크
출판사등록 | 2014.07.15.(제2014-16호)
주 소 | 서울특별시 금천구 가산디지털1로 119 SK트윈타워 A동 305호
전 화 | 1670-8316
이메일 | info@bookk.co.kr

ISBN |

www.bookk.co.kr
ⓒ 최보규 2023

354

## 2. 전자책 출간 매뉴얼

### ★ 무료 전자책을 출간하기 위한 본질

먼저 전자책을 출간하기 위해서는 유페이퍼출판사에 대해서 알아야 한다. 유페이퍼출판사는 대한민국의 전자책 오픈마켓 서비스를 제공하는 회사다.

개인이 전자책을 만들어서 서점에 유통할 수 있는 방법이 여러 가지가 있지만 개인적으로 유통 한다는 게 쉽지 않다. 개인적으로 하기 힘든 사람들을 위해서 유페이퍼가 일반 서점과 연결시켜주는 중간 역할을 한다.
전자책이 팔리면 소정에 수수료가 발생하고 정산을 해서 작가에게 가는 시스템이다. 제휴사 : 유페이퍼 : 판매자는 3:1:6의 구조라고 보면 된다.
(제휴사: 예스24, 알라딘, 교보문고, 리딩락, 북큐브, 밀리의서재, 부커스, 윌라)

당신에게 유페이퍼출판사가 왜! 천재일우일까? 자신이 무엇인가 시작하려 할 때 세상, 현실 기준이 태클을 건다. 세상, 현실 기준인 스펙, 돈, 인맥, 실력이 없으면 시작할 수 없는 환경이 되어있다. 이런 환경에서 스펙, 돈, 인맥, 실력이 없어도 돈을 벌수 있는 기회가 주어진다면? 하겠는가? 가장 큰 걸림돌인 스펙, 돈, 인맥, 실력이 없어도 할 수 있다면 무엇을 망설이겠는가? 무조건 해야 된다. 당연한 것이다. 안 하면 바보다. 몰랐으면 모를까 안다면 무조건 해야 된다.

물건 파는 장사로 예를 들겠다. 전자책도 한 권 출간하면 물건처럼 팔리기 때문이다. 물건을 파는 장사꾼이라면 월세, 물건 관리비, 배송비, 보관비, 인건비, 홍보비... 등 여러 가지 비용이 발생하고 신경 써야 될 것이 한두 가지가 아니다. 하지만 전자책 한 권을 만들어서 유페이퍼에 전자책을 등록했다면 장사를 할 때 나가는 월세, 물건 관리비, 배송비, 보관비, 인건비, 홍보비... 등을 유페이퍼에서 다 해준다는 것이다.

자신은 전자책만 써서 유페이퍼에 등록만 하면 된다는 것이다. "당신에게 유페이퍼출판사가 왜! 천재일우일까?"라는 말이 이제는 이해가 가는가? 당연히 글을 쓴다는 게 쉽지는 않을 수 있다. 일단 글을 쓴다는 게 쉽지 않다는 것을 제외하면 1차원적으로 봤을 때 전자책을 유페이퍼에서 출간한다는 것은 단점이 10% 라면 장점이 90%라는 것이다. 가장 큰 장점은 전자책 한번 출간을 하면 지속적인 수입이 발생한다는 것이다. 전자책 한 권 만들어 재능마켓(크몽, 탈잉, 클래스101...등)에 등록하면 여러 가지 수입을 창출할 수도 있다는 것이다.

요즘 대세고 앞으로도 대세인 무인시스템을 구축 할 수 있다는 것이다.

20,000명 심리 상담, 코칭으로 알게 된 사람들이 바라는 6가지 무인 시스템!
1. 커피숍에서 지인과 대화 중에도 돈이 입금되는 무인 시스템?
2. 자고 있는데 돈을 버는 무인 시스템?
3. 여행 중에도 돈이 입금되는 무인 시스템?
4. 사무실, 직원이 필요 없는 무인 시스템?
5. 건물주처럼 월세가 입금되는 무인 시스템?
6. 집에서 댕댕이와 휴식하고 있는데 돈이 입금되는 무인 시스템?

전자책 출간으로 6가지 무인 시스템이 가능하다면 무조건 해야 되는 거 아닌가? 안 하면 바보인 것이다.
필자가 지금까지 종이책 150권, 전자책 250권 총 400권을 출간했다. 출간한 책 권수만 보면 학창 시절부터 책 쓰는 작가, 정규코스를 거쳐서 책을 쓰는 것처럼 보이지만 전혀 그렇지 않다.
필자의 본업은 동기부여 강사, 자기계발 코칭 전문가, 방탄book기술력 코칭 전문가이다. 건축을 전공했고 강사일을 하기 전에 책 쓰는 일과 전혀 상관없는 일을 했던 사람이었다. 학창 시절부터 필자의 글씨는 악필이었다. 그래서 글씨 쓰는 것을 싫어하는 정도가 아니라 콤플렉스라 생각하는 사람이었다. 글 쓰는 일, 책 출간 직업과 전혀 상관없는 일을 하다가 어떻게 6년 동안 종이책 150권, 전자책 250권 총 400권을 출간을 했을까?

책 쓰기, 책 출간 방법이 아니라 책 쓰기, 책 출간 기술력을 알고 있기 때문에 가능했다는 것이다. 책 쓰기, 책 출간 방법을 배우면 한 권 출간하지만 방탄book기술력을 배우면 10권, 100권, 200권... 을 출간할 수 있다는 것이다.

누군가는 전자책 출간 방법을 배워서 전자책 1권만 출간한다.

누군가는 전자책, 종이책 출간 방법을 배워서 전자책, 종이책을 동시에 출간한다.

누군가는 전자책, 종이책 출간 기술력을 배워서 전자책, 종이책을 동시에 출간하고 끝나는 것이 아니라 방탄book기술력(수입 창출 6가지 시스템)과 연결하여 6가지 수입을 발생 시킨다.

당신이라면 어떤 선택을 할 것인가? 그래서 당신에게 유페이퍼출판사가 천재일우라고 하는 것이다. 당신에게 천재일우인 유페이퍼 등록 매뉴얼 무인 시스템 설명을 시작한다.

① 한글(HWP)프로그램 파일. 한글(HWP)원고 작업한 한글 파일 원고에서 파일을 클릭.

② 인쇄. 바로 PDF로 저장하는 것이 아니다. 그 이유는 원고 작업이 끝난 뒤 탈고, 퇴고를 하기 위해서 모아찍기(2쪽씩)로 원고 전체 인쇄를 하여 오타 체크를 했기에 모아찍기(2쪽씩)가 아닌 기본 인쇄로 바꿔줘야만 PDF로 저장 했을 때 한 장에 2페이지가 아닌 한 장에 1페이지씩 나온다.

전자책(PDF)등록 할 때 한 장에 2페이지씩 나오면 승인되지 않는다. 전자책(PDF)은 한 장에 1페이씩 나와야 한다.

③ 문서 전체.

④ 기본 인쇄. 모아 찍기(2쪽씩)로 체크 되어 있으면 기본 인쇄로 체크한다.

PDF로 저장을 하기 전에 인쇄에 들어가서 모아 찍기가 아닌 기본 인쇄로 해야만 출판사에 전자책 등록이 된다. 처음부터 사소한 것을 잘 지켜야만 시행착오를 줄일 수 있다.

전자책 만들기 매뉴얼

⑤ 파일(F)  편집(E)  ▾  보기(U)  ▾

새 문서(N)
호환 문서(Y)...
XML 문서(M)

불러오기(O)...
저장하기(S)
다른 이름으로 저장하기(A)
⑥ PDF로 저장하기(K)...
편집 용지(J)...
미리 보기(V)
인쇄(P)...

문서 정보(I)...
문서 이력 관리(D)...
DAISY 문서(W)
보내기(E)

PDF로 저장하기

저장 위치(I):  ★147 300만원 동기부여 강의  ▾  저장(D)  취소

이름  설명  크기 종류
전자책  파일 폴더
300만원 동기부여 강의 354  158,867... PDF 파일

라이브러리
바탕 화면
내 컴퓨터

파일 이름(N): 300만원 동기부여 강의 354
파일 형식(T): PDF, PDF/A 문서 (*.pdf)

⑦ 저장 설정(F)...

⑤ 파일.

⑥ PDF로 저장하기.

⑦ 저장 설정.

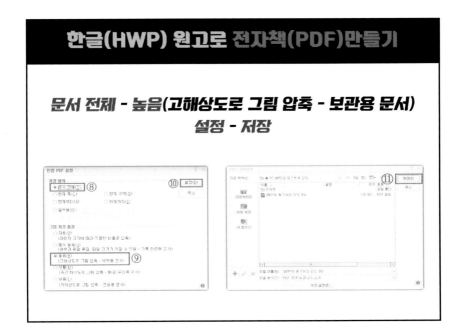

⑧ 문서 전체.

⑨ 높음(고해상도로 그림 압축 – 보관용 문서).

높음으로 저장하면 전자책(PDF)파일 용량이 늘어난다.

전자책(PDF)은 PC, 노트북, 스마트폰으로 보기 때문에

선명도가 낮으면 안 된다.

⑩ 설정.

⑪ 저장.

① ~ ⑪까지 진행하면 전자책을 취급하는 출판사에 등록할 수 있는 전자책(PDF) 원고를 완성한 것이다. 한번 만들어 놓은 전자책(PDF) 원고를 활용해서 21세기 황금 알을 낳는 거위라는 무인 자동 시스템을 만들 수 있다.

전자책(PDF)으로
1. 커피숍에서 지인과 대화 중에도 돈이 입금되는 시스템?
2. 자고 있는데 돈을 버는 시스템?
3. 여행 중에도 돈이 입금되는 시스템?
4. 사무실, 직원이 필요 없는 시스템?
5. 건물주처럼 월세가 입금되는 시스템?
6. 집에서 댕댕이와 휴식하고 있는데 돈이 입금되는 시스템?

월세, 연금성 수입을 발생시키는 전자책은 선택이 아닌 필수다.

대한민국 99%가 책 쓰기, 출간하는 방법만
교육, 코칭 한다!
6가지 수입 창출 책 쓰기, 출간 기술력을
교육, 코칭 하는 곳은 방탄book출판사뿐이다.

방법을 알면 1권 출간하고 끝이지만
방탄book기술력을 알면
10권, 100권, 1.000권... 도 가능하다.

# 전자책 출판사 등록 매뉴얼

# 전자책 출판사 등록 매뉴얼

★ 전자책 출판사 등록 매뉴얼

① 로그인. 회원가입 후 로그인

② 판매자 등록. 전자책을 판매하기 위해서 판매자 등록을 해야 한다. 개인 또는 사업자는 출판사를 보유하고 있거나, 사업자등록증을 보유한 경우에만 사업자를 선택하면 된다. 이름, 정산 받을 은행, 계좌번호(이름과 계좌번호 일치)입력하면 된다.

판매 배분율.

콘텐츠를 판매 후 기본 수익쉐어 배분율로 30%를 유페이퍼가 가지며, 70%를 정산해 준다.

판매자가 기간 구독제를 만들어 판매한 경우는 유페이퍼 20%, 판매자 80% 정산을 해준다.

유페이퍼에 판매 등록되는 콘텐츠는 국내외 전자책 제휴사에 자동 전송되어 판매가 이루어지는데 제휴사 판매분은 제휴사 배분율에 따라 차이가 있으나 기본적으로 이런 경우 유페이퍼에서는 10%를 수익으로 한다. 예를 들면 제휴사에서 30%를 수익으로 하고 유페이퍼에 70%를 넘겨주면 이중 유페이퍼 수익은 10%, 판매자 수익은 60%가 된다. 즉 제휴사 : 유페이퍼 : 판매자는 3:1:6의 구조가 된다.

계약 시작일, 계약기간

신청 당일 날짜로 판매자 전환하면 곧바로 콘텐츠를 판매 등록 가능하다. 계약기간은 별도 요청이 없으면 만기일에 해당 기간만큼 자동 연장된다.

주민등록번호, 주소 입력, 휴대폰 번호.

주민등록번호와 주소가 추후 정산료 지급 때 소득세 3%, 주민세 0.3% 국세청으로 신고 들어가기에 주민번호와 주소가 불명확하면 정산 지급이 된다.

③ 콘텐츠 등록. 홈에서 톱니바퀴를 클릭하면 콘텐츠 등록이 나온다.

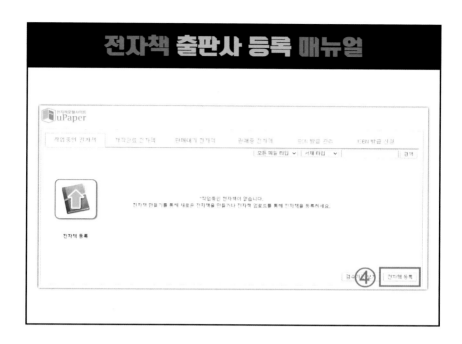

④ 전자책 등록. 등록할 전자책 세부적인 내용을 등록
할 수 있는 페이지로 이동한다.

① 전자책 제목. 300만원 동기부여 강의 (동기부여 일타
강사! 동기부여 사용 설명서!)

② 부제목. 노오력 동기부여가 아닌 올바른 노력 동기부
여

③ 저자. **최보규**

④ 출판사. **유페이퍼**

⑤ 출간 일자. 2024. 01.17

(전자책 ISBN 신청시에는 출간 일자는 7~10일 정도로
여유 있게 설정을 한다.) 전자책 등록일로부터 1주일 뒤
로 설정하면 된다. 예)전자책 등록일 2024. 01. 10이면
2024. 01. 17

ⓖ 1차 카테고리. **자기계발**

ⓗ 2차 카테고리. **성공학**

ⓘ 전자책 소개.

★ 80억 분의 1 ONLY ONE 검증된 동기부여 일타강사의 강의 교안 세계 최초 오픈!

※. 강사가 강의 교안을 오픈하는 것은 통장, 영업 기밀을 오픈하는 거와 같다.

★ 3고(고물가, 고환율, 고금리) 시대, 49세 은퇴 시대 (20대 은퇴 예정자? 30대 은퇴 확정자? 40대 은퇴 위험군?) 점점 더 은퇴 나이가 낮아지고 앞으로 더 힘들어지는 상황에서 자신 가능성을 높이는 동기부여, 자신 분야와 연결하여 제2수입, 제3수입을 지속적으로 만들 수 있는 방법을 제시하는 동기부여를 해 줄 것이다.

특허청 등록! 등록 번호: 제 40-2072344 호 [최보규 자기계발코칭 창시자]

20,000명 심리 상담, 코칭 / 15년 2,000권 독서

자기계발서 100권 출간 / 강사 15년, 강의 6,000회

7G 직업 (출판사 대표, 작가, 심리 상담사, 코칭 전문가, 강사, 유튜버, 한집의 가장)

45년간 습관 320가지 만듦...

많은 경력과 시행착오, 대가 지불, 인고의 시간을 통해 알게 된 동기부여를 세계 최초로 공개한다.

★ 어떤 강의에서도 말하지 못한 동기부여!

★ 어떤 강사도 말하지 못한 동기부여!

★ 어떤 책에도 없는 동기부여!

★ 어떤 영상에서도 볼 수 없는 내용의 동기부여!


⑨ 저자 소개.

★ 80억 분의 1 ONLY ONE 검증된 동기부여 일타강사!

★ 대한민국 특허청 등록 [등록 번호: 제 40-2072344호] [최보규 자기계발코칭 창시자]

★ 삼성(전문성, 진정성, 신뢰성)이 검증된 코칭 전문가.

★ 출판계 최초! 출판계의 혁신인 6가지 수입 창출 책쓰기, 출간 기술력을 창시한 사람. [출판계의 스티브 잡스]

★ 20,000명 심리 상담, 코칭을 통해 많은 사람들을 살리고 함께 울고, 웃고, 공감으로 행복을 주는 동기부여 전문가.

대한민국 극단적인 선택률, 이혼율을 낮추고 행복률을 올리기 위해 방탄자기계발사관학교를 만든 사람.

www.방탄자기계발사관학교.com

★ 20,000 / 7G / 2,000 / 7,000 / 100 / 50 / 6,000 / 45 / 320 / 15 숫자가 말해주는 사람!

20,000명 심리 상담, 코칭.

7G 직업(출판사 대표, 작가, 심리 상담사, 코칭 전문가, 강사, 유튜버, 한집의 가장)

2,000권 독서. 7,000개 메모. 자기계발서 100권 출간. 100권 출간한 책으로 온라인 콘텐츠, 디지털 콘텐츠 제작하여 50층 온라인 건물주.

강의 6,000회. 45년간 습관 320가지 만듦. 강사 15년 차.

★ 최보규상(대한민국 노벨상)을 만든 사람.

최보규를 알고 있는 사람들에게 나다운 행복을 만들어 주기 위해  올바른 노력을 하는 사람.


⑩ 다음 단계로. 전자책 원고 파일, 표지 파일 등록, 목차 등록 창으로 이동한다.

⑪ PDF 전자책 파일. **파일 선택을 클릭을 한 다음 전자
책(PDF)등록 할 파일을 업로드하면 된다.**
(PDF 파일 용량은 50MB 이하로 제한된다.)

PDF원고 용량이 50MB가 넘을 때는 알PDF 프로그램에서 압축(PDF 최적화)을 하면 된다. 네이버에서 무료인 알PDF 다운로드하면 된다.

#. 원고 등록 할 때 중요사항.

PDF원고 첫 장은 유페이퍼 로고가 들어간 책 표지가 들어가야 되고 PDF원고 마지막 페이지에는 판권지에 책 가격이 들어가야 한다. 전자책 표지 제작을 PDF로 다운로드 한 다음 전자책 원고와 알PDF 프로그램에서 PDF병합을 한다.

# 전자책(PDF) 첫 페이지 유페이퍼 로고 들어간 표지

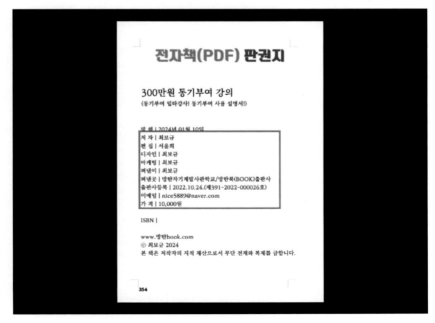

# 전자책(PDF) 판권지 알PDF에서 편집

⑫ PDF 전자책 표지. **파일 선택을 클릭을 한 다음 만들어 놓은 전자책 표지 등록.**

#. 이미지 파일(jpg, gif, png)만 선택이 가능.

⑬ 목차 명 입력. **목차 명을 하나씩 입력해야 한다.** 원고 작성한 한글에서 목차 전체를 복사한 다음 붙여넣기하면 좋겠지만 프로그램 특성상 한 번에 붙여넣기가 되지 않는다. 목차 한 문장씩 복사해서 넣어야 된다.

⑭ 페이지 번호 입력. **전자책 페이지 번호를 입력한다.**

⑮ 전자책 등록. **전자책 기본 정보 입력이 끝났다. 판매신청을 하기 위한 단계로 넘어간다.**

① 콘텐츠 등록. 메인 페이지에서 톱니바퀴에 있는 콘텐
츠 등록으로 들어간다.

② 제작 완료 전자책. 제작 완료 전자책을 클릭한다.

③ 판매신청. 판매 신청으로 들어가면 책 가격 설정과 판매 제휴사 선택을 할 수 있다.

④ DRM. DRM 적용 할 때 UCASH 500씩 차감된다.

[ Digital Rights Management ] 디지털 콘텐츠의 무단 사용을 막아, 제공자의 권리와 이익을 보호해 주는 기술과 서비스를 통틀어 일컫는 말이다. 불법 복제와 변조를 방지하는 기술 등을 제공한다. 전자책 한 권 등록할 때

500원이 들어간다.

⑤ 판매 가격. 전자책 가격을 정한다. 500원 ~ 20,000
원까지 설정할 수 있다. 전자책 평균 가격은 10,000원
이다.

⑥ 해시태그. 검색 해시 태그를 5개까지 입력 가능하다.

⑦ 미리 보기 설정. 미리 보기 설정은 무료로 몇 페이지
까지 오픈할 것인지를 설정하는 곳이다. 대부분 머리말,
목차까지 오픈을 한다.

⑧ 판매 제휴사 선택. **온라인 판매 제휴사 선택 페이지**
로 이동한다.

⑨ 제휴사 선택. 제휴사 전체 선택을 체크하면 제휴되어
있는 전체 제휴사가 선택된다.

⑩ 판매 신청 완료. 판매 신청을 클릭하면 마지막 단계
인 책의 주민등록번호인 ISBN 발급 신청을 할 수 있다.

⑪ ISBN 발급 신청 페이지로 이동하기 위해서 홈페이지 메인화면으로 이동 후 콘텐츠 등록 클릭.

⑫ ISBN 발급 신청 카테고리 클릭.

⑬ 등록한 전자책 체크.

⑭ ISBN 발급 신청 클릭.

| 구입 금액 | 충전 금액 | 충전방법 |
|---|---|---|
| ○ 1,000원 | 1,000 U캐쉬 | ◉ 신용카드 |
| ○ 5,000원 | 5,000 U캐쉬 | |
| ○ 10,000원 | 10,000 U캐쉬 | |
| ◉ 20,000원 ① | 20,000 U캐쉬 | ○ 계좌이체 |
| ○ 50,000원 | 50,000 U캐쉬 | |
| ○ 직접입력 | U캐쉬 충전 : 10000 | |

② 충전하기

#. ISBN 발급 신청은 무료가 아니다. 한 권 신청 할 때 1,000원의 비용이 발생한다. 유페이퍼출판사의 U캐쉬가 있다면 ⑮확인만 누르면 되자만 U캐쉬가 없다면 충전을 해야 한다.

U캐쉬 충전을 하려면 홈페이지 메인화면에서 톱니바퀴 클릭하면 U캐쉬충전이 나온다. 기본 1,000원에서 50,000만 원까지 가능하다. 충전하기 누르면 결제 창이 뜨고 결제를 한 다음 ⑫번 ISBN 발급 신청을 하면 마무리가 된다. 심사, 승인은 2~3일 정도 걸린다.

- 심사, 승인 기준

표지

- 표지에 도서명, 저자명, 출판사명은 필수 요소입니다.
- 표지는 가로 700px / 세로 1000px 사이즈가 유페이퍼 뷰어에 적합하며, 가로 사이즈 기준으로 600px이상 1000px이내에서 설정해주시기 바랍니다.
- 성인 도서는 '19세 미만 구독 불가' 빨간 띠지 를 삽입해 주시기 바랍니다.
- EPUB과 PDF 모두 파일 첫 장에는 표지가 있어야 합니다.


판권

- EPUB, PDF 파일 내부에는 판권이 있어야 합니다.
- 도서명, 저자명, 출판사명, 출간일, 정가는 반드시 포함되어야 합니다.
- 판권은 독자의 가독성을 위해 가급적 도서 마지막에 설정해 주시기 바랍니다.


가격

- 도서 종류에 따라 가격 설정은 상이하나, 정가를 10,000원 이상으로 하시려면 글자 수 10만 자 이상, 7,000원 이상은 5만 자 이상의 분량이어야 합니다.
- 기존에 판매 중인 도서의 정가 인상은 기존 정가의

30% 내에서 가능합니다.

• 한국출판문화진흥원의 '도서정가제'를 참고해 주시기 바랍니다.

## 공통된 승인 거절 기준

• 이미 판매 중인 도서를 중복으로 판매 신청하면 승인이 거절됩니다.

• 미완성작, 편집이 덜 된 도서, 테스트 도서는 승인이 거절됩니다.

• 출판사가 아닌 개인인 경우, 출판사명이 '유페이퍼'여야 합니다. (출판사/인쇄사 검색 시스템)에 검색되지 않는 출판사명은 승인거절)

• 도서 소개, 저자 소개의 분량은 4000bytes 이내로 조정해 주시기 바랍니다.

## AI제작된 전자책외 판매유통중지

• GPT등 수많은 AI를 이용하여 전자책을 제작, 유통하는 콘텐츠중에서 전국 전자도서관으로부터 클레임이 발생되어 수백여권 B2B판매가 전면 판매중지되었습니다. 따라서 유페이퍼내에서 AI제작된 콘텐츠에 대한 검수강화되었으며, 승인되었더라도 제휴사 유통이 불가할수 있습니다.

1) 나열식으로 정리되어 많은것 처럼 보이나 실제 읽어
보면 내용이 허접하고  핵심이 없는 콘텐츠들

2) AI로 작성여부 상관없이 분량대비 가격 높이 책정한
콘텐츠들은 판매불가 (통상 종이책으로 출판된 콘텐츠가
전자책으로 판매시 300페이지 기준 1만원수준이므로
100페이지 3천원선이 적당), (크몽등 재능기부 프리랜서
마켓에서  판매되는것과 유페이퍼 ISBN을 발급받아 정
식 출판되어 영원히 기록으로 남는 전자책은 차원이 틀
립니다.)

3) 전자책출판교육으로 동일주제 동일콘텐츠로 표지와
작가가 틀리게 등록되는 콘텐츠는 소수만 승인되고 다
거절처리 (제목과 내용이 틀리면 승인)


## 참고사항

• 동일한 도서를 PDF와 EPUB으로 판매하실 경우, 도
서명, 저자명, 정가 등이 동일해야 합니다.

•  등급과 가격 설정은 제공자의 책임과 권한이나. 판단
에 따라 수정을 요청할 수 있습니다.

• 간행물윤리위원회(www.kpec.or.kr)의 <심의 대상 및
심의 기준>에 의거하여 승인을 거절하거나 수정요청을
할 수 있습니다.

• 직거래 제휴사를 중복 판매 신청하지 않게 주의해 주

시기 바랍니다.

• 판매 중인 도서를 수정하여 재판 매신청 하시면 보름
간의 판매대기 기간이 발생합니다.

판매 신청 하기 전 마지막으로 확인하기

• 표지는 제대로 들어가 있는가
• 목차의 이름은 제대로 들어가 있는가
• 판권의 내용은 올바르게 들어가 있는가
• 오탈자를 포함한 본문의 편집은 완료되었는가

&lt;유페이퍼&gt;

검증된 코칭전문가

◎ 특허청 등록 ◎
**최보규 강사책출간 코칭전문가**
등록 번호: 제 40-2200794 호

◎ 특허청 등록 ◎
**최보규 자기계발코칭 창시자**
등록 번호: 제 40-2072344 호

◎ 특허청 등록 ◎
**최보규 리더동기부여 코칭전문가**
등록 번호: 제 40-2128786 호

※ 상표 및 상호를 무단 도용할 경우
[특허법]에 의해 1억 원 이하의 벌금, 7년 이하의 형사처분을 받을 수 있습니다.

**N 최보규**

네이버 인물정보 등록 34만 명! (2016년 기준)
대한민국 1% 미만 "네이버 명예의 전당" 인물정보 등록!

**전체**　　프로필　　최근활동　　도서

### 프로필　　　　　　　　　　　　　　　　→

| | |
|---|---|
| 소속 | 방탄자기계발사관학교/방탄북 (BOOK)출판사(대표) |
| 수상 | 2016년 제1회 세계를 빛낸 천 사상 대상 |
| 경력 | 방탄자기계발사관학교/방탄북 (BOOK)출판사 대표 |
| | 방탄자기계발사관학교 대표 |
| | 2012.05~2016.06 사랑의전화 전화상담 자원봉사자 |
| | 2014.11 행복사관학교 대표 |
| 사이트 | 유튜브, 블로그, 네이버TV, 페이스북, 공식홈페이지 |
| 작품 ★ | 도서 108건, 관련활동 |

# 종이책 150권, 전자책 250권
# 총 400권 무인 콘텐츠

## 24시간 무인 시스템

**BOOKK✎**　책만들기　작가서비스　서점　커뮤니티

나의서재 152　　나의서재 120

부크크　브런치　　부크크　브런치

전체　종이책　전자책　　전체　종이책　전자책

유페이퍼　[최보규] 검색어 콘텐츠　159

이번 생에 건물주는 힘들어도
온라인 건물주는 가능하다!
400층 온라인 건물주를 가능하게 만든 시스템!

## 방탄book기술력

세계 최초! 방탄코칭 시스템을 통한
자생능력(스스로 할 수 있는 능력)향상

★ 자생능력 Level UP
★ A~E classe
★ 검증된 "삼성 전문가"
　(진정성, 전문성, 신뢰성)

Level 1
기초
AC

Level 2
변화
BC

Level 3
성장
CC

Level 4
도약
DC

Level 5
자생
EC

| 5시간 | 1개월 | 2개월 | 3개월 | 6개월 |

최보규 방탄코칭 전문가
자기개발, 자기계발 메뉴얼 /시스템

**1:1 맞춤 상담**
1

자신, 자신 분야 심리, 성향, 상황을 파악하여 최소의 시간, 최소의 비용으로 최대의 효과를 낼 수 있는 방향 제시. 자신, 자신 분야 가치, 가능성, 자신감 향상.

**목표, 방향 컨설팅**
2

자신, 자신 분야 분석 후 목표, 방향 설정을 통해 자신 분야 삼성(진정성, 전문성, 신뢰성)을 올리는 코칭과 제2 수입, 제 3 수입을 연결시킬 수 있는 방법 컨설팅.

**코칭 분야 선택**
3

10가지 코칭 분야에서 자신 분야와 연결시킬 수 있는 분야 선택.

코칭 받은 분야는 자격증까지 함께 취득할 수 있는 1석2조.

**클래스 선택**
4

이코노미 코칭(속성)
비즈니스 코칭(속성)
퍼스트 클래스(속성)

기본 5시간/10시/15시/3개월/6개월/1년 클래스, 시간 선택

**150년 a/s, 피드백, 관리**
5

자생능력(스스로 할 수 있는 능력)이 생길 때까지 멘토가 되어 주고 생활 속에서 겪는 스트레스, 걱정, 고민을 심리 상담을 통해 케어.
자기개발 주치의, 자기계발 주치의

| Google 자기계발아마존 | ▶YouTube 방탄자기계발 | NAVER 방탄자기계발사관학교 | NAVER　　최보규 |

# ★ ★ ★ ★ ★

# 검증된 전문가 교육시스템

### 회원제를 통한 맞춤 학습, 연습, 훈련
### 오프라인 전문상담사가 검진 후 특별맞춤 학습, 연습, 훈련

### 검증된 강사코칭 전문가

세계 최초 강사 백과사전
강사 사용설명서를 만든 전문가!
<u>150년 A/S, 관리,해주는 책임감!</u>

### 검증된 책 쓰기 전문가 100권

행복히어로
나다운 강사 1, 2
나다운 방탄멘탈
나다운 방탄습관블록
나다운 방탄 카피 사전
나다운 방탄자존감 명언 Ⅰ, Ⅱ
방탄자기계발 사관학교
자기계발코칭전문가 1,2,3,4,5,6
나다운 방탄리더십 1,2,3,4,5
외 100권

### 검증된 자기계발 전문가

방탄행복 창시자!
방탄멘탈 창시자!
방탄습관 창시자!
방탄자존감 창시자!
방탄자기계발 창시자!
방탄강사 창시자!
방탄리더십 창시자!

### 검증된 상담 전문가

20,000명 심리 상담, 코칭!
독학하기 힘든 자자자멘승긍
(자존감, 자신감, 자기관리, 자기계
발, 멘탈, 습관, 긍정)
1:1 케어까지 해주며 행복 주치의가
되어주는 전문가!

---

# ★ ★ ★ ★ ★
## 강력추천

# <u>이런 사람들 반드시 상담, 코칭 받으세요!</u>

### 현재 상황에 가장 필요한 것을 상담 후 가장 효율적인 시스템을 적용합니다.

**변화, 성장, 배움, 행동
동기부여, 셀프케어**

**1**

지금처럼이 아니라 지금부
터 다시 시작하고 때를 기
다리는 사람이 아닌 때를
만들고 싶은 분

**자신분야 전문성**

(진정성, 전문성, 신뢰성)

**2**

경력은 스펙이 아니다! 자
신 분야 차별화로 부케릭
터를(부업)만들어 자신 몸
값을 올리고 싶은 분

**자신분야 자동
시스템(돈) 연결**

**3**

움직이지 않아도 자동으로
돌아가는 돈 버는 시스템
을 만들고 싶은 분

169

# 80%는 교육으로 만들어진다? 300% 틀렸습니다!

## 세계 최초! 방탄동기부여 효율적인 교육 시스템!

**1단계**

### 교육 = 20%

**2단계**

### 스스로
### 학습, 연습, 훈련 = 30%

**3단계**

### 검증된 전문가
### a/s,관리,피드백

**= 50%**

**150년**
**a/s,관리,피드백**

평균적으로 학습자들은 교육만 받으면 80% 효과를 보고 동기부여가 되어 행동으로 나올 것이라고 착각합니다.

그러다 보니 교육받는 동안 생각만큼, 돈을 지불한 만큼 자신 기준의 미치지 못하면 효과를 보지 못할 거라고 지레짐작으로 스스로가 한계를 만들어 버립니다. 그래서 행동으로 옮기지 못하는 것이 상황, 교육자가 아닌 자기 자신이라는 것을 모릅니다.

20,000명 심리 상담, 코칭, 리더 자기계발서 100권 출간, 리더 습관 320가지 만듦, 시행착오, 대가 지불, 인고의 시간을 통해 가장 효율적이며 효과적인 교육 시스템은 2:3:5라는 것을 알게 되었습니다.

교육 듣는 것은 20%밖에 되지 않습니다. 교육을 듣고 스스로가 생활 속에서 배웠던 것을 토대로 30% 학습, 연습, 훈련해야 합니다.
학습, 연습, 훈련한 것을 가장 중요한 50%인 검증된 전문가에게 꾸준히 a/s, 관리, 피드백을 받아야만 2:3:5공식 효과를 볼 수 있습니다.

178

**평균 희망 은퇴 73세, 현실 은퇴 나이 49세! 100세 시대 언제까지 몸(노동)으로만 일해서 돈을 벌 것인가?**

세상, 현실 기준에서 스펙, 돈, 인맥, 자산 등이 없어서 100세까지 노동을 해야 되고 몸까지 아프면 더 답이 없는 상황! 젊을 때는 100가지 중 99가지를 할 수 있지만 나이 들면 100가지 중 99가지를 할 수 없다. 3고 시대, AI 시대, 챗GPT 시대에 자신의 직업이 사라 질 수 있는 상황에서 어떻게 준비, 대비할 것인가?

 **방탄BOOK기술력**
**선택이 아닌 필수!**

ONLY ONE
방탄
BOOK
기술력

한 분야 전문성으로 힘든 시대다. 이제는 포트폴리오 커리어 시대다. (포트폴리오 커리어: 한 분야 전문성 외 다수에 전문성이 있는 사람) 자신 경력을 왜 썩히고 있는가! 자신 경력을 활용해서 6가지 수입을 발생시킬 수 있는 방탄book기술력! 언제까지 몸(노동)으로 일할 것인가? 자신 경력이 일하게 하자! 자신 콘텐츠가 일하게 하자! 시스템이 일하게 하자!

★ ★ ★ ★ ★

직장은 자신 인생을 책임져 주지 않지만
방탄book기술력은 자신 인생을 책임져 준다.
직장은 자신을 배신하지만
방탄book기술력은 자신을 배신하지 않는다.

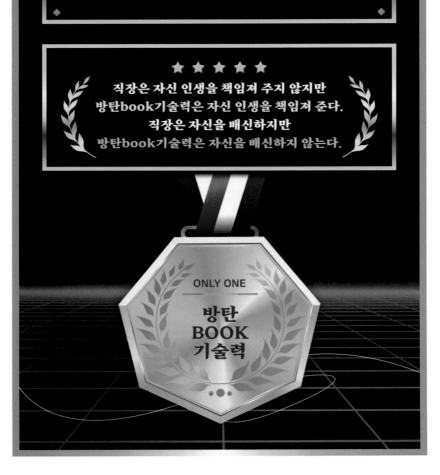

ONLY ONE

방탄
BOOK
기술력

## 자신 분야 스펙, 내공, 가치, 값어치

# 카페에서 냅킨에 그린 그림이 1억?

카페에 피카소가 앉아 있었습니다. 한 손님이 다가와 종이 냅킨 위에 그림을 그려 달라고 부탁했습니다. 피카소는 상냥하게 고개를 끄덕이곤 빠르게 스케치를 끝냈습니다. 냅킨을 건네며 1억 원을 요구했습니다.
손님이 깜짝 놀라며 말했습니다. 어떻게 그런 거액을 요구할 수 있나요? 그림을 그리는 데 1분밖에 걸리지 않았잖아요. 이에 피카소가 답했습니다.

아니요. 40년이 걸렸습니다. 냅킨의 그림에는 피카소가 40여 년 동안 쌓아온 노력, 고통, 열정, 명성이 담겨 있었습니다. 피카소는 자신이 평생을 바쳐서 해온 일의 가치를 스스로 낮게 평가하지 않았습니다.

《확신》

★★★★★ **차별이 아닌 초월 혜택** ★★★★★

Google 자기계발아마존  ▶YouTube 방탄자기계발  NAVER 방탄book기술력  NAVER  최보규

## 이코노미 PT

### 기본 5H : 500,000원

☑ 150년 A/S (세계 최초)

☑ 마스터한 분야 자격증 1종 취득

☑ 방탄자기계발사관학교 강사 위촉

☑ 방탄자기계발사관학교 마스터 위촉

☑ 비지니스 PT 10% 할인
   (10만원 상당)

☑ 퍼스트클래스 PT 10% 할인
   (30만원 상당)

☑ 마스터한 분야 실전 2시간 강의
   교안 제공. (강사료 200만원 상당)

# ★★★★★ 차별이 아닌 초월 시스템 ★★★★★

## 타사와 비교불가 초월 혜택!
## 자신 분야 온라인 건물주가 되어 100년 수입 창출!

Google 자기계발아마존    YouTube 방탄자기계발    NAVER 방탄book기술력    NAVER    최보규

# 비지니스 PT

## 기본10H : 1,000,000원

### CHECK POINT

- ☑ 기본 1회(2~3일=10H)
- ☑ 6가지 수입 창출 시스템 실전 훈련
- ☑ 150년 A/S, 피드백

# 차별이 아닌 초월 혜택

★★★★★ ★★★★★

Google 자기계발아마존  ▶YouTube 방탄자기계발  NAVER 방탄book기술력  NAVER  최보규

## 비지니스 PT

### 기본 10H : 1,000,000원

☑ 150년 A/S, 피드백
☑ 마스터한 분야 자격증 1종 취득
☑ 방탄자기계발사관학교 전임 강사 위촉
☑ 방탄자기계발사관학교 전임 마스터 위촉
☑ 퍼스트클래스 PT 10% 할인
　(30만원 상당)
☑ 강사 맞춤 트레이닝 비대면 1회 제공
　(50만원 상당)
☑ 마스터한 분야 실전 2시간 강의 교안
　제공, 1:1 맞춤 교안 설명
　(강사료 200만원 / 1:1 맞춤 100만원 상당)

# ★★★★★ 차별이 아닌 초월 시스템 ★★★★★

## 타사와 비교불가 초월 혜택!
## 자신 분야 온라인 건물주가 되어 100년 수입 창출!

Google 자기계발아마존　　YouTube 방탄자기계발　　NAVER 방탄book기술력　　NAVER 최보규

# 퍼스트클래스 *PT*

## 기본 15H : 3,000,000원~

## CHECK POINT

- ☑ 기본 1회(15H) / (2회 ~ 5회 선택 사항)
- ☑ 6가지 수입 창출 *자동 시스템 구축*
- ☑ 150년 A/S, 피드백, VIP맞춤 관리

187

★★★★★ **차별이 아닌 초월 시스템** ★★★★★

## 타사와 비교불가 초월 혜택!
## 자신 분야 온라인 건물주가 되어 100년 수입 창출!

Google 자기계발아마존  ▶YouTube 방탄자기계발  NAVER 방탄book기술력  NAVER 최보규

**방탄book기술력 전문가 과정 속성 PT** ✓

## 기본 30H : 5,000,000원~

### CHECK POINT

☑ 기본 1회(5H) / (5회 ~ 10회 선택 사항)

☑ 6가지 수입 창출 **자동 시스템 구축**

☑ 150년 A/S, 피드백, VIP맞춤 관리

특허청 등록

최보규 강사책출간 코칭전문가

등록 번호: 제 40-2200794 호

## 차별이 아닌 초월 혜택

Google 자기계발아마존 · YouTube 방탄자기계발 · NAVER 방탄book기술력 · NAVER 최보규

### 방탄book기술력 전문가 과정 속성 PT

## 기본 30H : 5,000,000원~

- ☑ 150년 A/S, 피드백, VIP맞춤 관리
- ☑ **자격증 5종 취득 (250만원 상당)**
- ☑ 방탄자기계발사관학교 지회장 위촉
- ☑ 종이책, 전자책 출간 후 네이버 인물 등록
- ☑ 20H, 30H, 40H, 50H PT 20% 할인
- ☑ 강사 맞춤 트레이닝 대면 3회 제공 (150만 원 상당) / 프로필 유튜브 홍보 영상 제작 (100만원 상당)
- ☑ **방탄book기술력 코칭 전문가 MOU**
- ☑ 마스터한 분야 풀 패키지 (교안 제공, 1:1 맞춤 교안 설명, 청강 1회 제공) (강사료 200만원 / 1:1 맞춤 100만원 / 청강 1회 200만원 상당)

★★★★★ **차별이 아닌 초월 시스템** ★★★★★

## 타사와 비교불가 초월 혜택!
## 자신 분야 온라인 건물주가 되어 100년 수입 창출!

| Google 자기계발아마존 | YouTube 방탄자기계발 | NAVER 방탄book기술력 | NAVER 최보규 |

## 방탄book기술력 전문가 과정 6개월 PT

## 기본 30H : 10,000,000원~

### CHECK POINT

☑ 기본 1회(5H) / (5회 ~ 10회 선택 사항)
☑ 6가지 수입 창출 **자동 시스템 구축**
☑ 150년 A/S, 피드백, VIP맞춤 관리

190

# ◆ 참고문헌, 출처

&lt;교보문고&gt;

《감정 경제학》조원경, 페이지2북스, 2023

&lt;네이버 블로그 카루의 프리랜서 라이프&gt;

&lt;국어사전&gt;

《300만원 동기부여 강의》

&lt;유페이퍼출판사&gt;

# 세계 최초! 출판계의 혁신!
# 최보규의 책 쓰기 10G 3

발 행 | 2024년 06월 07일

저 자 | 최보규, 서윤희

편 집 | 최보규, 서윤희

디자인 | 최보규, 서윤희

마케팅 | 최보규

펴낸이 | 한건희

펴낸곳 | 주식회사 부크크

출판사등록 | 2014.07.15.(제2014-16호)

주 소 | 서울특별시 금천구 가산디지털1로 119 SK트윈타워 A동 305호

전 화 | 1670-8316

이메일 | info@bookk.co.kr

ISBN | 979-11-410-8759-3

www.bookk.co.kr